UNE POIGNÉE DE SEIGLE

AGATHA CHRISTIE

UNE POIGNÉE DE SEIGLE

Traduit de l'anglais par Michel Le Houbie

LIBRAIRIE DES CHAMPS-ÉLYSÉES

Ce roman a paru sous le titre original :

A POCKET FULL OF RYE

CHAPITRE PREMIER

C'était au tour de Miss Somers de faire le thé. Miss Somers était la dernière entrée des dactylos, et la moins bonne. Plus très jeune, avec son visage doux et inexpressif, elle faisait songer à un mouton. L'eau ne bouillait pas tout à fait quand Miss Somers la versa sur le thé, mais la pauvre Miss Somers ne savait jamais quand l'eau bouillait *réellement*. C'était, parmi d'autres, une des choses qui l'avait toujours affligée. Elle emplit les tasses et les fit circuler, ayant mis dans chaque soucoupe deux biscuits à la cuiller.

Miss Griffith, qui dirigeait le service avec compétence et autorité au Consolidated Investments Trust depuis seize ans, déclara d'une voix aigre qu'une fois encore « on » on avait fait le thé avec de l'eau qui ne bouillait pas. Miss Somers rougit et s'excusa. Cette fois, pourtant, elle avait bien cru que l'eau bouillait!

Miss Griffith n'insista pas. Il y avait tant de travail qu'il faudrait bien garder Miss Somers un mois encore, mais elle était vraiment impossible! Incapable de se tirer du travail le plus simple, et elle ne savait même pas faire du thé!

Elle en était là de ses réflexions quand Miss Grosvenor fit son entrée dans la pièce : elle venait faire le thé de Mr Fortescue. Une opération sacro-sainte. Mr Fortescue ne buvait pas le même thé que tout le monde, on le lui servait dans un service qui n'était utilisé que pour lui, et il avait ses biscuits à lui. La bouilloire seule était la même. Ainsi, pourtant, que l'eau, qui provenait du robinet des lavabos. Seulement, le thé de Mr Fortescue fut fait avec de l'eau bouillante. Miss Grosvenor y veilla.

Miss Grosvenor était une jolie blonde, d'un charme incroyable. Elle portait un tailleur noir qui avait dû coûter fort cher et ses jambes, magnifiques, étaient gainées de nylon « cristal ». Elle n'adressa la parole à personne et ne fit à personne l'aumône d'un regard. Elle était la secrétaire particulière de Mr Fortescue. Les mauvaises langues prétendaient à tort qu'elle était un peu plus. Mr Fortescue venait de se remarier et sa nouvelle épouse, très belle et très dépensière, suffisait largement à l'occuper.

Miss Grosvenor se retira, avec son plateau. Elle traversa la salle d'attente, l'antichambre, où l'on faisait patienter les gros clients, son bureau personnel, puis elle frappa discrètement à une porte et pénétra dans le saint des saints, le cabinet de Mr Fortescue.

C'était une pièce immense, aux lambris de bois précieux. Sur un parquet éblouissant s'étalaient de coûteux tapis d'Orient et reposaient de vastes fauteuils de cuir clair. Assis derrière un énorme bureau en sycomore je vis Mr Fortescue.

Ce personnage me parut moins imposant qu'on l'eût souhaité dans un tel cadre. Il était fort, et bien en chair, avec un crâne chauve et luisant.

Par genre, il portait à la ville ces vêtements de tweed très amples qu'on réserve généralement pour la campagne. Le front soucieux, il examinait des papiers quand Miss Grosvenor, posant délicatement son plateau à la droite de son patron, lui dit d'une voix impersonnelle, mais fort suave :

— Votre thé, monsieur Fortescue.

Il répondit d'un grognement. C'était sa contibution ordinaire au rituel.

Miss Grosvenor regagna son bureau et s'occupa du travail courant. Elle donna deux coups de téléphone, apporta quelques corrections à des lettres dactylographiées qui n'attendaient plus que la signature de Mr Fortescue, et reçut une communication téléphonique. C'est d'un ton plein de condescendance qu'elle répondit à la personne qui appelait :

— J'ai bien peur que ce soit impossible tout de suite. Mr Fortescue est en conférence.

Elle posa le récepteur et regarda la pendule. Il était onze heures dix.

Juste à ce moment-là, elle entendit comme un cri étouffé. Il venait du bureau de Mr Fortescue et, malgré le capitonnage de la porte, il était très facile à identifier : c'était un cri d'angoisse, un cri d'agonie. Miss Grosvenor se leva. Au même instant, sur son bureau, le timbre dont Mr Fortescue usait pour l'appeler entra en action. Il sonnait longuement et de façon impérative. Très émue, mais pourtant redressant le buste, par habitude, Miss Grosvenor se dirigea vers la porte de Mr Fortescue. Elle frappa et elle entra.

La stupeur la cloua à l'entrée de la pièce. Mr Fortescue se tordait de douleur dans son fauteuil, avec des mouvements convulsifs, des soubresauts. Le spectacle était insupportable. Allant à lui, elle balbutia :

— Vous êtes malade, monsieur Fortescue?

En la prononçant, elle se rendit compte que la question était idiote. Malade, Mr Fortescue l'était visiblement. Il eut toutes les peines du monde à articuler une réponse, qui ne vint que par bribes, entre des spasmes et des hoquets.

— Le thé... Qu'est-ce que... vous aviez... mis dedans?... Un médecin...

Miss Grosvenor fila vers le bureau des dactylographes. Elle avait cessé d'être la blonde et prétentieuse secrétaire d'un personnage considérable, elle n'était plus qu'une femme à qui la peur fait perdre la tête.

Elle anonça la nouvelle d'une voix blanche.

— Mr Fortescue a eu une attaque... Il va passer, c'est sûr!... Il faut appeler un médecin!

Les réactions furent immédiates et variées.

— Si c'est une crise d'épilepsie, dit placidement Miss Bell, la plus jeune des dactylos, il n'y a qu'à lui mettre un bouchon entre les dents. Qui est-ce qui a un bouchon?

Personne n'avait de bouchon.

— A son âge, déclara Miss Somers, c'est probablement une attaque d'apoplexie.

— L'important, dit Miss Griffith, c'est d'alerter un médecin, *sans perdre de temps!*

Malheureusement, dans ses seize années de service, elle n'avait jamais eu à appeler un médecin au bureau et son expérience ne lui servait à rien. Un médecin, elle en connaissait bien un, le sien. Mais il habitait Streatham Hill. On devait pouvoir en trouver un dans le voisinage!

Miss Bell prit l'annuaire des téléphones et chercha à la lettre « D ». On lui fit remarquer que les « docteurs » étaient en réalité des « médecins » et qu'elle les trouverait donc à « M ». On découvrit ensuite qu'elle avait en main l'annuaire des rues et qu'il fallait prendre l'autre, celui où les abonnés sont classés par professions.

— Il vaudrait mieux, dit quelqu'un, prévenir un hôpital.

On chercha à la lettre « H ».

— Attention! dit Miss Somers. Il ne faut pas se tromper d'hôpital! Avec la nouvelle législation, il faut tomber sur celui du quartier. Sinon *ils* ne se dérangent pas!

— Et si on téléphonait à la police?

Miss Griffith repoussa la suggestion avec horreur. Faute de savoir à quel hôpital s'adresser, on se rabattit sur les ambulances, à la lettre « A ».

— Enfin, dit Miss Griffith, il a un médecin! C'est celui-là qu'il faut faire venir!

Quelqu'un s'en fut chercher le carnet d'adresses personnel de Mr Fortescue, cependant que Miss Griffith dépêchait le groom au-dehors, avec mission de ramener un médecin, *n'importe lequel*, le premier venu. L'agenda de Mr Fortescue livrait enfin un nom : sir Edwin Sandeman, dans Harley Street.

On en était là quand Miss Grosvenor, épuisée, se laissa tomber sur une chaise en murmurant, d'une voix qui ne cherchait plus à être « distinguée » :

— Je suis pourtant sûre d'avoir fait le thé comme toujours!... Il n'est pas possible que ce soit le thé...

Miss Griffith, qui venait de saisir l'appareil téléphonique, tourna la tête.

— Pourquoi dites-vous ça?

— Je le dis... parce que Mr Fortescue a dit... que c'était le thé...

Miss Griffith hésita. Devait-elle appeler la police ou le médecin ?

Quelques instants plus tard, cependant que deux voitures d'ambulance s'arrêtaient devant l'immeuble, le Dr Isaacs, de Bethnal Green, et sir Edwin Sandeman, alertés, l'un par le groom, l'autre par téléphone, se rencontraient au rez-de-chaussée, devant la porte de l'ascenseur.

CHAPITRE II

Dans le sanctuaire de Mr Fortescue, l'inspecteur Neele s'était assis dans le fauteuil même de Mr Fortescue, derrière le grand bureau en sycomore. Un carnet de notes à la main, un de ses subordonnés s'était discrètement installé sur une chaise, dans un coin de la pièce.

Neele avait l'allure militaire, le cheveu brun et le front plutôt bas. En dépit des apparences, il ne manquait pas d'imagination. Quand il menait une enquête, une de ses méthodes favorites consistait à considérer comme coupable, si fantastique que l'hypothèse pût paraître, la personne même qu'il interrogeait, et, à voir ensuite pourquoi la théorie ne « tenait » pas.

Miss Griffith, qu'il avait choisie sans hésitation pour se faire mettre au courant des faits, venait de se retirer après lui avoir donné des événements une relation d'une remarquable clarté. Neele avait envisagé l'éventuelle culpabilité de la doyenne du bureau des dactylos et trouvé, pour l'expliquer, quer, trois mobiles, qu'il écarta ensuite comme improbables. Pour lui, Miss Griffith *a)* ne présentait pas le type physique de l'empoisonneuse, *b)* n'était pas éprise de son patron, *c)* n'était pas femme à avoir des rancunes. Elle pouvait être une précieuse source d'informations, mais pas une coupable.

L'inspecteur regardait l'appareil téléphonique. Il attendait d'une minute à l'autre une communication du St. Jude's Hospital. Mr Fortescue pouvait, certes, être mort « de sa belle mort », mais ce ne semblait pas être l'opinion du Dr Isaacs, de Bethnal Green, non plus que celle de sir Edwin Sandeman, de Harley Street.

Neele décida d'entendre la secrétaire particulière de Mr Fortescue. Miss Grosvenor n'avait encore retrouvé qu'une partie de son habituelle assurance. Elle entra comme avec crainte et, tout de suite sur la défensive, elle dit :

— Ce n'est pas moi!

L'inspecteur murmura un « ah? » dépourvu de toute signification et invita du geste Miss Grosvenor à s'asseoir dans un fauteuil, qui se trouvait être celui-là même où elle s'installait quand Mr Fortescue lui dictait du courrier. Elle y prit place avec appréhension et leva vers Neele un visage inquiet.

— Le thé n'a pas pu lui faire du mal! déclara-t-elle. Ce n'est pas possible!

Neele acquiesça d'un mouvement de tête et prit la direction de l'entretien.

— Vous vous appelez?...

— Grosvenor... Irène Grosvenor.

— Et vous habitez...?

— 14, Rushmoor Road, Muswell Hill.

L'inspecteur, à l'entrée de Miss Grosvenor, avait commencé à la considérer comme une coupable possible. Depuis, il tenait déjà pour acquis que Miss Grosvenor n'était pas la maîtresse de son employeur ni de celles qui se laissent séduire pour ensuite faire chanter l'homme sur lequel elles ont jeté leur dévolu.

— Donc, dit-il d'un ton aimable, c'est vous qui avez préparé le thé de Mr Fortescue ?

— Oui. Comme toujours...

L'inspecteur se fit longuement expliquer les rites de cette importante et quotidienne cérémonie. Dûment emballées, la tasse, la soucoupe et la théière étaient déjà parties vers les laboratoires de Scotland Yard. De ces objets, deux n'avaient été touchés que par Irène Grosvenor : la tasse et la soucoupe. On s'était servi de la théière pour faire le thé du bureau et Miss Grosvenor, quand elle s'était occupée du thé de Mr Fortescue, l'avait remplie d'eau au robinet des lavabos.

— Et le thé, d'où venait-il ?

— C'était le thé personnel de Mr Fortescue, un thé de Chine spécial. Je le range dans mon bureau, sur un rayon.

— Le sucre ?

— Mr Fortescue n'en prenait pas.

Le téléphone sonna. Neele prit l'appareil.

— St. Jude's Hospital ?

Couvrant le récepteur de sa main, il remercia Miss Grosvenor et lui dit qu'elle pouvait se retirer. Elle s'empressa de disparaître. L'inspecteur écouta le rapport que lui faisait, d'une voix monotone, le sergent qu'il avait envoyé à l'hôpital. De temps à autre, il griffonnait au crayon, sur le buvard qu'il trouva devant lui, quelques notes qui n'étaient compréhensibles que pour lui.

— Vous dites qu'il est mort il y a cinq minutes ?

Il jeta un coup d'œil sur sa montre-bracelet et écrivit : « 12 h 43 ».

A l'autre bout du fil, la voix du sergent reprenait :

— Le Dr Bernsdorff désirerait vous parler.

— Bernsdorff ? Passez-le-moi !

Quelques secondes s'écoulèrent. Puis, brusquement, l'inspecteur, qui attendait sans impatience, écarta l'écouteur de son oreille : la puissante voix de basse de Bernsdorff lui écorchait le tympan.

— Alors, vieux vautour, on fait encore joujou avec les macchabées ?

Neele et Bernsdorff, un an plus tôt, avaient eu, l'un et l'autre, à s'occuper d'une curieuse affaire de poison et ils étaient restés en excellents termes.

— Notre homme est mort, à ce qu'il paraît ?

— C'est exact. Quand il est arrivé ici, il n'y avait plus rien à faire.

— De quoi est-il mort ?

— L'autopsie nous le dira. Le cas paraît intéressant. Très intéressant, même... Personnellement, l'affaire me passionne.

— Si je comprends bien, reprit Neele, il ne s'agirait pas d'une mort naturelle ?

— Pas de risques !

Avec une prudence à retardement, le Dr Bernsdorff ajouta :

— Je ne vous donne là que mon opinion personnelle.

— Bien entendu. Il aurait été empoisonné ?

— Très certainement. Et, toujours très officieusement, je précise que je suis prêt à parier que je connais le nom du poison ?

— Qui serait ?

— La taxine.

— La taxine ? Jamais entendu parler.

— Ça ne m'étonne pas. C'est un poison rare, que je n'ai découvert moi-même qu'il y a quelques semaines, quand j'ai eu à soigner deux gamines qui s'étaient amusées à faire du thé avec des baies d'if... et qui auraient fort bien pu en mourir.

— Cette taxine provient de l'if?

— Oui. C'est un alcaloïde qu'on peut extraire des feuilles et des baies de l'if. Un poison terrible... et qui me ravit! Ça me change un peu! Depuis le temps que j'ai affaire à des gens qui utilisent l'arsenic...

— Je vous comprends. Notre type n'a pas parlé, avant de mourir?

— Un de vos hommes était à son chevet et il a noté tout ce qu'il a dit. Je crois qu'il a vaguement raconté qu'on avait drogué le thé qu'il venait de prendre dans son bureau... Une ineptie!

— Pourquoi une ineptie?

— La taxine n'agit pas si rapidement. Il paraît que les premiers symptômes d'empoisonnement se sont manifestés presque tout de suite après qu'il eut bu son thé...

— C'est ce qu'on m'a dit.

— Eh bien, il n'y a que très peu de poisons pour avoir une action si immédiate! Les cyanures, bien sûr, et la nicotine à l'état pur...

— Qui, en l'occurrence, sont à écarter?

— Définitivement. Il serait mort avant l'arrivée de l'ambulance. Quand on me l'a amené, j'ai, un instant, pensé à la strychnine, mais ses spasmes m'ont vite détrompé. Officiellement, je n'affirme rien encore, mais je suis sûr de ce que j'avance : il ne peut s'agir que de taxine.

— Elle tue rapidement?

— Cela dépend. Une heure ou deux. Ou bien, trois... Le bonhomme devait être un gros mangeur. S'il avait pris un solide petit déjeuner, la mort a pu venir un peu plus lentement... Sur quoi, je vous laisse, non sans vous souhaiter bonne chance!

— Merci, docteur! Pourrais-je avoir de nouveau mon sergent au bout du fil?

— Certainement.

Peu après, Neele reprenait la conversation avec le sergent Hay.

— Ici, Neele. Avant de mourir. Fortescue a-t-il dit quelque chose d'intéressant?

— Il a dit que son thé était empoisonné. Mais le médecin légiste...

— Je sais. Il n'a rien dit d'autre?

— Non, monsieur. Seulement, il y a quelque chose de curieux. J'ai inventorié le contenu de ses poches. Il avait sur lui ce que je m'attendais à trouver, des clés, un mouchoir, de la monnaie, son portefeuille, mais aussi, dans la poche droite de son veston, des grains...

— *Des grains?* Des grains de quoi?

— Des grains de seigle, si je ne me trompe pas. Et il y en avait pas mal!

— Bizarre... C'était peut-être un échantillon... Il était dans les affaires...

— C'est possible, monsieur. En tout cas, j'ai cru devoir vous signaler ça...

— Vous avez bien fait, Hay. Merci!

L'inspecteur posa l'appareil téléphonique sur son socle et réfléchit. Méthodique, il faisait le point. Son enquête passait de la phase I à la phase II. Il avait suspecté un empoisonnement, il possédait maintenant une certitude. Bernsdorff avait parlé très officieusement, mais il n'était pas homme à se tromper. Rex Fortescue était mort empoisonné et le poison vait dû lui être administré bien avant qu'il n'arrivât à son bureau. D'où il suivait que le personnel de la maison était pratiquement hors de cause.

Neele alla chez les dactylographes. Elles travaillaient, mais il était évident que les machines étaient loin de donner leur plein rendement. L'inspecteur informa Miss Griffith que les employées pouvaient aller déjeuner, étant entendu qu'elles reviendraient au bureau dans l'après-midi, puis il lui dit qu'il aimerait s'entretenir de nouveau avec elle. Quelques instants plus tard, elle se retrouvait avec lui dans le cabinet de Mr Fortescue.

Sans préambule, il lui apprit le décès de son patron. Elle hocha la tête.

— Je me doutais bien qu'il était très mal.

Il ne semblait pas que la nouvelle l'affectât.

— Pourriez-vous me donner quelques renseignements sur sa famille ? demanda Neele.

— Volontiers. J'ai essayé de joindre Mrs Fortescue, mais elle n'est pas chez elle, où elle ne rentrera que pour déjeuner. Elle est allée jouer au golf, mais on ne sait pas trop sur quels links. Elle habite à Baydon Heath et, vous le savez, là-bas, il y a trois golfs.

D'un mouvement de tête, l'inspecteur montra qu'il connaissait Baydon Heath, une coquette agglomération, à vingt milles de Londres, desservie par des trains nombreux et où ne résident guère que des favorisés de la fortune.

— Vous avez l'adresse exacte et le numéro de téléphone ?

— Le 3400 à Baydon Heath. La villa s'appelle Yewtree Lodge.

— Hein ?

Neele n'avait pu cacher sa surprise.

— Vous avez bien dit Yewtree Lodge ?[1]

— Oui.

— L'inspecteur s'était ressaisi.

— Parlez-moi de la famille.

— Mr Fortescue avait épousé Mrs Fortescue en secondes noces, et elle est beaucoup plus jeune que lui. La première Mrs Fortescue est morte depuis longtemps. Il y a deux fils et une fille, du premier lit. La fille vit à Yewtree Lodge, ainsi que le fils aîné, qui est devenu l'associé de son père. Malheureusement, aujourd'hui, il est en voyage d'affaires dans le nord de l'Angleterre. Il doit rentrer demain.

— Quand est-il parti ?

— Avant-hier.

— Vous avez essayé de le joindre ?

— Oui. Après le départ de l'ambulance, j'ai appelé au téléphone le Midland Hotel, à Manchester, pensant qu'il y était descendu. Je ne me trompais pas, mais il l'a quitté ce matin. Je crois qu'il devait aller à Sheffield et à Leicester, sans toutefois en être sûre. Si vous voulez, je puis vous donner les noms et adresses de quelques-unes des maisons auxquelles il pourrait rendre visite dans ces deux villes...

— Le second fils ?

— Celui-là ne vit pas en Angleterre. Il ne s'entendait pas avec son père.

— Ils sont mariés, les fils ?

— Oui. Mr Percival et sa femme, qui sont mariés depuis trois ans, ont un appartement à

[1] Le pavillon des ifs.

Yewtree Lodge. Ils doivent, d'ailleurs, le quitter bientôt pour s'installer dans une villa, à Baydon Heath.

— Vous n'avez pas pu joindre Mrs Percival Fortescue, ce matin ?

— Elle est à Londres pour toute la journée.

— L'autre fils ?

— C'est Mr Lancelot. Il y a moins d'un an qu'il est marié. Il a épousé la veuve de lord Frederick Anstice. Une femme très élégante, très dans le mouvement... Vous avez dû voir sa photo dans *The Tatler*...

Miss Griffith avait prononcé ces derniers mots avec une sorte d'orgueil. Neele, à qui ces nuances n'échappaient pas, comprit que le mariage de Lancelot avait, qu'elle le voulût ou non, flatté Miss Griffith. Pour elle, la noblesse conservait tout son prestige, elle ignorait probablement que la réputation du feu lord Frederick Anstice était, dans le monde des courses, plus que douteuse. Il se fit sauter la cervelle le jour où la commission sportive décida d'ouvrir une enquête sur la dernière (et très suspecte) performance d'un de ses chevaux. Quant à sa veuve, fille d'un pair d'Irlande, Neele savait qu'elle avait épousé en premières noces un aviateur, qui trouva la mort en France pendant la guerre. Elle était donc, maintenant, la femme de l'enfant terrible de la famille Fortescue. Pour Neele, en effet, le jeune Lancelot n'avait pu se brouiller avec son père qu'à la suite de quelque frasque. Ce Lancelot Fortescue, au fait, quel drôle de nom il portait ! Lancelot... Son frère n'était pas mieux partagé, qui s'appelait Percival ! La première Mrs Fortescue choisissait curieusement les prénoms de ses enfants...

Neele demanda la communication avec le 3400 à Baydon Heath.

— Je désirerais parler à Mrs Fortescue ou à Miss Fortescue.

— Je regrette, monsieur. Elles ne sont pas à la maison.

La voix était celle d'un homme. Assez porté sur l'alcool, si Neele ne se trompait pas.

— Vous êtes le maître d'hôtel ?

— Oui, monsieur.

— Vous savez qu'un... accident est arrivé à Mr Fortescue ?

— Oui, monsieur. On nous l'a téléphoné, mais nous ne pouvons absolument rien faire. Mr Percival est dans le nord et Mrs Fortescue est allée au golf. Mrs Percival est à Londres et elle ne rentrera que ce soir. Quant à Miss Elaine, elle est sortie avec ses chevaux...

— Il n'y a personne à la maison à qui je pourrais parler ? Il s'agit d'une chose importante...

— Je ne sais pas trop...

L'homme hésitait. Il reprit :

— Il y a bien Miss Kamsbotom, mais elle a horreur du téléphone. Ou, alors, Miss Dove, qui est comme qui dirait la gouvernante...

— Donnez-moi Miss Dove !

— Je vais tâcher de vous la trouver.

La ligne resta muette quelques instants, puis une voix féminine se fit entendre.

— Miss Dove à l'appareil.

L'articulation était nette, la voix douce et bien posée. L'inspecteur se dit que Miss Dove devait être quelqu'un de très bien.

— Je suis navré, Miss Dove, d'avoir à vous apprendre que Mr Fortescue vient de mourir au

St. Jude's Hospital. Il avait eu une indisposition à son bureau. J'essaie de joindre sa famille...

— Naturellement. Je n'aurais jamais cru...

Miss Dove s'interrompit. La nouvelle ne paraissait pas lui avoir fait perdre son sang-froid. Miss Dove semblait ennuyée, tout au plus. Elle reprit :

— La personne à prévenir, monsieur, c'est évidemment Mr Percival Fortescue, qui seul prendra les décisions nécessaires. Vous pourriez peut-être le toucher à Manchester, ou encore au Grand Hotel, à Leicester. A moins que vous ne puissiez l'avoir chez « Shearer and Bonds », à Leicester également. Je ne connais pas leurs numéros de téléphone, mais vous les trouverez dans l'annuaire et je sais qu'il devait aller les voir. De toute façon, ils vous diront où vous avez des chances de le joindre. Mrs Fortescue sera ici pour le dîner, et peut-être même pour le thé. Elle ne se doute guère... Il est mort subitement, j'imagine? Car, ce matin, quand il est parti, il était en parfaite santé...

— Vous l'avez vu?

— Bien sûr!... De quoi est-il mort? Le cœur?

— Il avait une maladie de cœur?

— Non... Je ne crois pas... Je dis cela parce que c'est tellement inattendu...

Après un court silence, elle ajouta :

— Vous téléphonez de l'hôpital? Vous êtes un médecin?

— Non, Miss Dove. Je ne suis pas un médecin et je vous parle du bureau même de Mr Fortescue, dans la City. Je suis l'inspecteur-détective Neele, du C.I.D.[1]. Je me rendrai à Baydon Heath dès que possible...

[1] Le *Criminal Investigations Department*, le Bureau des Recherches criminelles.

— Un détective? Faut-il comprendre que...

— Quand quelqu'un meurt subitement, Miss Dove, on nous appelle toujours, surtout quand le défunt n'avait pas vu de médecin depuis quelque temps. Ce qui était le cas, si je suis bien informé?

Cette phrase, Neele la lançait à tout hasard. Il se trouva qu'il avait deviné juste.

— C'est exact, répondit Miss Dove. A deux reprises, Val — c'est Mr Percival — avait pris rendez-vous pour lui. Il n'a pas voulu aller chez le médecin. Il n'était pas raisonnable... et sa famille s'inquiétait à bon droit...

Elle se tut brusquement, avant de reprendre, sur un ton tout différent :

— Si Mr Fortescue rentrait avant votre arrivée, que devrais-je lui dire?

— Dites-lui simplement qu'en cas de mort subite nous sommes contraints de nous livrer à une enquête, mais que celle-ci est de pure forme.

Ayant dit, il remit le téléphone en place.

CHAPITRE III

Le regard de l'inspecteur chercha celui de Miss Griffith.

— Ainsi, dit-il, sa famille s'inquiétait et désirait qu'il vît un médecin. Vous ne m'aviez pas dit ça !

— Ça ne m'était pas venu à l'idée. Moi, je ne l'ai jamais cru *vraiment malade !*

— Non ?

— Il était... drôle, il avait changé, soit ! Mais il n'était pas malade.

— Quelque chose qui le tracassait, peut-être ?

— Non, pas du tout ! C'est *nous* qui nous tracassions...

Elle se tut. Neele attendit, patiemment.

— C'est difficile à expliquer, reprit Miss Griffith. Il avait beaucoup changé. Quelquefois, il se montrait très exubérant et j'avoue qu'il m'est parfois arrivé de me demander s'il n'avait pas bu... Il se vantait et me racontait des histoires extraordinaires, dont je savais parfaitement qu'elles ne pouvaient pas être vraies. Depuis mon entrée ici, je l'avais toujours vu très secret au sujet de ses affaires. Il ne me disait jamais rien. Depuis quelque temps, au contraire, il parlait beaucoup et... jetait l'argent par les fenêtres, ce qui ne lui ressemblait guère. L'autre jour, par exemple, quand le petit groom a demandé sa journée pour l'enterrement de sa grand-mère, Mr Fortescue l'a fait venir dans son bureau, lui a donné un billet de cinq livres et lui a recommnadé, en éclatant de rire, de jouer le deuxième favori. Il n'était plus le même, c'est tout ce que je veux dire!

— Il ressemblait à quelqu'un qui a l'esprit ailleurs?

— Ce n'est pas tout à fait ça! On aurait dit qu'il attendait quelque chose... Un événement heureux, qui le réjouissait par anticipation...

— Il était peut-être sur le point de réussir une affaire magnifique?

— Ce serait plutôt quelque chose comme ça. On aurait dit que la marche de la maison cessait de l'intéresser, qu'il était maintenant passionné par autre chose. Depuis quelque temps, d'ailleurs, il recevait des gens bizarres. Ça n'était pas sans inquiéter Mr Percival.

— Ah! oui?

— Forcément! Mr Percival avait toujours eu la confiance de son père. Mr Fortescue se reposait sur lui. Mais ,depuis un certain temps...

— Ils s'entendaient moins bien?

— C'est-à-dire que Mr Fortescue prenait des décisions que Mr Percival ne croyait pouvoir approuver. Mr Percival est prudent, mais son père ne l'écoutait plus. Mr Percival s'en montrait très affecté...

— Et ils ont fini par avoir une vraie dispute?

L'inspecteur n'en savait rien. Il risquait une supposition.

— Une dispute, je l'ignore... Et, pourtant, c'est

bien possible ! Pour que Mr Fortescue ait crié comme ça...

— Il a crié ?

— Je pense bien ! Il est arrivé en coup de vent dans le bureau des dactylos...

— De sorte que tout le monde l'a entendu ?

— Oui.

— Et que reprochait-il à Percival ?

— Il lui reprochait surtout de ne vouloir rien entreprendre ! Il disait qu'il n'était qu'un malheureux petit employé, incapable de voir plus loin que son petit horizon, incapable de concevoir une affaire d'envergure. Il hurlait : « Je rappellerai Lance ! Il en vaut dix comme toi et, lui, au moins, il a fait un beau mariage ! Il a du cran, lui, et ce n'est pas parce que la justice a eu à s'occuper de lui une fois que... » Mon Dieu ! je n'aurais pas dû vous dire ça !

Comme bien d'autres avant elle, Miss Griffith, victime des habiletés de Neele, en avait dit plus qu'elle n'aurait voulu. Confuse et navrée, elle se taisait. L'inspecteur la réconforta.

— Rassurez-vous ! Le passé est le passé...

— Et c'est si loin, cette histoire-là ! Mr Lancelot était jeune et plein de feu, il ne se rendait pas compte de ce qu'il faisait...

Ces phrases, Neele les avait entendues dans d'autres bouches. Il n'était pas d'accord, mais il se garda d'en rien dire.

— Parlez-moi des employés de la maison !

Ravie d'aborder un sujet de tout repos, Miss Griffith lui donna sur le personnel tous les renseignements qu'il pouvait souhaiter. Après quoi, l'inspecteur la remercia et lui rendit sa liberté, en la priant de lui envoyer Miss Grosvenor, qu'il désirait revoir. Le constable Waite aiguisait son crayon.

— Grosvenor, dit-il, c'est un nom de noble!... Il y a un duc de Grosvenor, je crois bien!... Et Fortescue, ça n'est pas mal non plus!

Neele sourit.

— Pas mal, mais récent! fit-il observer. Le père de notre Fortescue s'appelait Fontescu et il était né quelque part en Europe centrale. Le Fortescue qui vient de mourir doit être le premier du nom. Il aura trouvé qu'il sonnait mieux que l'autre.

Waite regardait son chef avec étonnement.

— Vous avez l'air de bien le connaître?

— Je me suis renseigné avant de venir.

— Il avait un casier?

— Pensez-vous, bien trop malin pour ça! Il s'occupa bien de marché noir et de quelques opérations très répréhensibles, mais en s'arrangeant toujours pour rester, légalement, inattaquable.

— Je vois... Un vilain bonhomme, quoi!

— Un faisan, simplement. Nous n'avons jamais pu le coincer. Le fisc s'est donné beaucoup de peine pour l'avoir, il en a été pour ses frais. Feu Mr Fortescue avait le génie de la combine...

— Un type comme ça pourrait bien avoir eu des ennemis...

— Certainement, il en avait. Seulement, nous ne devons pas perdre de vue qu'il a été empoisonné dans sa propre maison, nous avons du moins lieu de le croire. Il me semble, Waite, que cette histoire-là a quelque chose de classique. Nous avons le bon petit garçon de la famille, Percival; la brebis galeuse, Lance; la femme, beaucoup plus jeune que son mari et qui ne dit pas sur quels links elle va jouer au golf... Tout ça nous a un petit air familier.

Mais il y a quelque chose d'assez surprenant...

— Quoi donc ?

La question du constable resta sans réponse. On avait frappé à la porte. Toute son assurance retrouvée, Miss Grosvenor fit dans la pièce une entrée qui ne manquait pas d'allure, avant de demander, avec une certaine hauteur :

— Vous désiriez me voir ?

— Je voudrais vous poser quelques questions sur votre employeur... votre défunt employeur, devrais-je dire.

— Pauvre Mr Fortescue!

Le ton manquait de sincérité.

— Je voudrais savoir si, en ces derniers temps, vous aviez remarqué en lui quelque changement.

— Très certainement.

— Précisez!

— Ce n'est pas facile... Il lui arrivait de dire des choses qui ne tenaient pas debout. On ne pouvait plus croire la moitié de ce qu'il racontait. D'autre part, il était devenu coléreux... Avec Mr Percival, s'entend... Moi, je ne lui donnais jamais l'occasion de se fâcher! Je ne discutais jamais. Il pouvait dire n'importe quelle sottise, je disais : « Oui, monsieur Fortescue! » et il était content!

— Vous faisait-il la cour ?

— Non... vraiment, non!

Il y avait peut-être, dans la voix de Miss Grosvenor, comme un regret.

— Une question encore, Miss Grosvenor. Mr Fortescue avait-il d'habitude du grain dans ses poches ?

Miss Grosvenor semblait ne pas comprendre.

— Du grain ?... Vous voulez dire du grain, comme on en donne aux pigeons, par exemple ?

— Si vous voulez...

— Alors, je suis bien sûre que non! Je ne vois pas Mr Fortescue nourrissant des pigeons... Ah! pas du tout!

— Il n'aurait pas pu avoir aujourd'hui dans sa poche des grains d'orge... ou de seigle pour quelque raison bien déterminée? A titre d'échantillon, peut-être. En vue d'un marché à traiter...

— Oh! non. Cet après-midi, il devait recevoir les gens de l'Asiatic Oil et le président du conseil d'administration de l'Atticus Building Society... Personne d'autre.

Neele n'insista pas, remercia Miss Grosvenor et lui fit savoir qu'elle pouvait retourner à ses occupations.

Lorsqu'elle fut sortie, Waite poussa un long soupir.

— Jolies jambes! dit-il.

Neele haussa les épaules.

— Qu'est-ce que vous voulez que ça me fasse? Je ne suis pas plus avancé que tout à l'heure! Il avait une poignée de seigle dans sa poche... et nous ne savons toujours pas pourquoi!

CHAPITRE IV

Mary Dove, qui descendait l'escalier, s'arrêta pour jeter un coup d'œil par la grande fenêtre. Deux hommes venaient de sortir de la voiture qui s'était immobilisée devant la maison. Le plus grand, qui lui tournait le dos, inspectait du regard les environs. Mary Dove resta un instant pensive.

Puis, tournant la tête, elle se contempla un moment dans la haute glace plaquée sur le mur, à l'endroit où l'escalier faisait un coude. Le miroir lui renvoyait l'image d'une jeune personne, petite et de maintien modeste, habillée d'un strict tailleur beige, avec un col et des manchettes d'un blanc immaculé. Une raie médiane partageait en deux masses égales ses noirs cheveux qui, tirés en arrière, formaient sur la nuque un lourd chignon. Souriante, Mary Dove se remit à descendre.

L'inspecteur Neele, cependant, regardait Yewtree Lodge et remarquait, à part lui, que, pour appeler « ça » un pavillon, il ne fallait pas manquer de « culot ». Il s'agissait d'une sorte de château, ni plus, ni moins! Un pavillon, il savait ce que c'était. N'était-ce pas dans un pavillon qu'il fut élevé? Un pavillon de concierges, qui, de l'extérieur, n'était pas trop vilain, mais humide, sans confort et à peu près dépourvu d'installations sanitaires. Ses parents s'en contentaient, parce que logés gratuitement et chargés d'un service peu compliqué. Du moment qu'ils ouvraient et fermaient la grille de la propriété, quand il était nécessaire, on les laissait tranquilles, avec permission de tuer dans le parc tous les lapins dont ils avaient envie — mais Mrs Neele n'avait jamais connu le repassage au fer électrique, les poêles à conbustion lente, l'eau courante (chaude et froide) sur l'évier. Avait-elle jamais su, seulement, qu'il existait des gens qui, lorsqu'ils rentraient chez eux, le soir, n'avaient qu'à toucher un bouton pour donner la lumière? Chez les Neele, on s'éclairait au pétrole et, l'été, on se couchait lorsqu'il faisait noir. On était heureux quand même, bien sûr, mais sérieusement en retard sur l'époque.

Tous ces souvenirs de son enfance, l'inspecteur les évoquait devant cette bâtisse prétentieuse qu'on avait eu l'audace de baptiser Yewtree Lodge. Quand il parlait d'elle, Mr Fortescue devait dire « la petite bicoque que j'ai à la campagne ». D'ailleurs, à bien regarder, ce n'était pas la campagne non plus! La maison construite en longueur plutôt qu'en hauteur, avec une incroyable profusion de pignons et de fenêtres à vitraux de couleurs, était entourée de jardins trop entretenus, avec des massifs de rosiers innombrables, des tonnelles fleuries, de petites pièces d'eau et, naturellement, des alignements d'ifs taillés, justifiant le nom du « pavillon ».

Des ifs, il y en avait plus que n'en pouvait souhaiter quiconque désirait se procurer de quoi fabriquer de la taxine. Sur la droite, au-delà d'une tonnelle de roses, on apercevait un peu de nature authentique : un grand if, comme on en rencontre dans les cimetières. Ses plus grosses branches étaient supportées par des étais et Neele se dit que cet arbre imposant se trouvait très certainement là depuis bien plus longtemps que la maison. Les architectes, quand ils avaient étudié le parcours du golf avec leurs riches clients, firent probablement observer que cet if géant « faisait bien » dans le paysage et c'était à cette remarque sans doute qu'il avait dû de survivre à l'aménagement du site. Peut-être ses baies...

L'inspecteur interrompit là ses réflexions. Il était venu pour travailler...

Il sonna. Un homme d'un certain âge déjà vint lui ouvrir. Il était tel que Neele se l'était représenté d'après le timbre de sa voix au téléphone, il avait l'air faux et rusé, et ses mains tremblaient.

L'inspecteur se nomma, présenta son compagnon et demanda si Mrs Fortescue était rentrée.

— Non, monsieur.

— Mr Percival Fortescue ?

— Lui non plus, monsieur.

— Ni Miss Fortescue ?

— Non, monsieur.

— Alors, j'aimerais voir Miss Dove.

Le maître d'hôtel tourna légèrement la tête.

— La voici justement qui descend...

L'inspecteur regarda Miss Dove. Cette fois, il s'était trompé dans ses spéculations. Le mot « gouvernante » lui avait fait imaginer une dame aux allures autoritaires, de noir vêtue et portant, dissimulé dans ses jupons, quelque lourd trousseau de clés. L'élégant tailleur de Miss Dove le surprenait, aussi bien que l'âge de cette « gouvernante », qui n'avait certainement pas trente ans, ses beaux cheveux et le demi-sourire qui pinçait légèrement ses jolies lèvres.

Elle salua Neele d'un petit mouvement de tête.

— L'inspecteur Neele, sans doute ?

— Lui-même. Je vous présente le sergent Hay. Ainsi que je vous l'ai dit au téléphone Mr Fortescue est mort au St. Jude's Hospital, à midi quarante-trois. Il semble que le décès a été provoqué par quelque chose que Mr Fortescue avait absorbé à son petit déjeuner. Je désirerais donc que le sergent Hay fût conduit à la cuisine, où il se renseignerait sur ce qui a été servi ce matin à Mr Fortescue.

Neele regardait Miss Dove. Elle ne cilla pas.

— Rien de plus facile, dit-elle.

Tournée vers le maître d'hôtel, elle ajouta :

— Crump, voudriez-vous montrer le chemin au sergent et vous mettre à sa disposition ?

Les deux hommes s'éloignèrent ensemble. Miss Dove fit entrer l'inspecteur dans un salon-fumoir, sans caractère malgré ses boiseries sombres, ses vastes fauteuils et les gravures de chasse qui décoraient les murs.

— Asseyez-vous, je vous en prie !

Il obéit. Elle s'installa sur une chaise, en face de lui, le visage en pleine lumière. Comme quelqu'un qui n'a rien à cacher, songea Neele.

— Il est bien dommage, dit-elle, qu'aucun membre de la famille ne soit ici en ce moment. Mrs Fortescue peut rentrer d'une minute à l'autre. Mrs Percival également. J'ai télégraphié à Mr Percival Fortescue à différentes adresses.

— Je vous en remercie.

— Vous dites que la mort de Mr Fortescue

aurait été causée par quelque chose qu'il aurait absorbé à son petit déjeuner. Il s'agirait d'une intoxication alimentaire ?

— Peut-être.

Le regard du policier ne quittait pas la jeune femme. Très calme, elle reprit :

— Pour moi, la chose me paraît douteuse. Au petit déjeuner, ce matin, nous avions du bacon, des œufs brouillés, du café, des toasts et de la confiture. Il y avait aussi, sur la desserte, du jambon, coupé d'hier soir. Nous en avions mangé hier. Personne n'a été incommodé. On n'a servi ni poisson, ni saucisses.

— Je vois que vous êtes très au courant...

— Forcément. C'est moi qui fais les menus. Hier soir...

— Inutile. Il ne peut pas s'agir de quelque chose qu'il aurait mangé au dîner d'hier.

— Je croyais que, dans le cas d'une intoxication alimentaire, les troubles parfois ne se manifestaient qu'après un délai pouvant aller jusqu'à vingt-quatre heures.

— En la circonstance, ce ne peut être. Voudriez-vous me dire exactement ce que Mr Fortescue a absorbé ce matin, avant de quitter la maison ?

— A huit heures, on lui a porté une tasse de thé dans sa chambre. Le petit déjeuner a été servi à neuf heures un quart. Mr Fortescue, comme je vous l'ai dit, a pris des œufs brouillés, du bacon, du café et une tartine de confiture.

— Rien d'autre ?

— Rien.

— Dans son café, il a mis du sucre en poudre ou en morceaux ?

— Il ne mettait pas de sucre dans son café.

— Avait-il, le matin, l'habitude de prendre quelque médicament ? Des sels, par exemple ?

— Non.

— Vous étiez à table avec lui ?

— Non. Je ne prends pas mes repas avec la famille.

— Alors, qui y avait-il avec lui ?

— Mrs Fortescue, Miss Fortescue, et Mrs Percival Fortescue. Comme vous le savez, Mr Percival n'est pas à la maison en ce moment.

— Ces dames ont mangé comme lui ?

— Mrs Fortescue n'a pris que du café, un jus d'orange et un toast. Mrs Percival et Miss Fortescue font toujours un solide breakfast. Indépendamment du jambon et des œufs brouillés, il est probable qu'elles auront pris une bouillie de céréales. Mrs Percival ne boit pas de café, mais du thé.

L'inspecteur Neele réfléchit. Le champ des suspects se rétrécissait. Trois personnes, et trois seulement, s'étaient assises à table avec Mr Fortescue pour le petit déjeuner : sa femme, sa fille et sa belle-fille. Il était possible qu'une d'elles eût profité de l'occasion pour mettre de la taxine dans sa tasse de café, l'amertume du breuvage devant dissimuler celle du poison. Celui-ci ne pouvait avoir été administré dans le thé. Bernsdorff avait bien dit que, dans du thé, le goût particulier de la taxine ne pouvait passer inaperçu. Il est vrai que, tout au matin, quand on est encore mal éveillé...

Miss Dove reprit l'entretien.

— Je pense à cette question que vous m'avez posée tout à l'heure sur les médicaments que pouvait prendre Mr Fortescue. N'est-elle pas assez... singulière, quand il s'agit d'une intoxication alimentaire ?

— Je n'ai pas parlé d'empoisonnement par les aliments. Mais d'empoisonnement, simplement.

Elle répéta le mot à mi-voix. Elle ne semblait ni étonnée, ni alarmée. Intéressée, sans plus.

— Si quelqu'un lui a administré du poison, dit-elle au bout d'un instant, ce n'est pas moi! Je sais que tout le monde vous dira la même chose, mais qu'y puis-je?

— Voyez-vous quelqu'un qui vous paraîtrait suspect?

Elle haussa les épaules.

— L'homme était odieux. N'importe qui peut avoir eu envie de le tuer!

— Je le veux bien, Miss Dove, mais on n'empoisonne pas les gens simplement parce qu'ils sont « odieux ». Généralement, on a une raison précise de le faire!

— Oui, bien sûr.

Elle se tut, pensive.

— Voudriez-vous, Miss Dove, me parler des gens qui vivent ici?

Elle leva la tête. Il fut un peu surpris de découvrir dans ses yeux comme une lueur amusée.

— Si je comprends bien, dit-elle, il ne s'agit pas de ce qu'on appelle officiellement une déposition, puisque votre sergent est occupé ailleurs. Ce que je vais vous dire, je n'aimerais pas qu'il en fût donné lecture à un tribunal, mais je ne demande qu'à vous le dire... officieusement. Entre nous, en quelque sorte...

— C'est bien ainsi que je l'entends, Miss Dove. Je vous écoute.

Fermant les yeux à demi, elle commença.

— Avant tout, je tiens à bien préciser que je n'ai pour mes patrons aucun dévouement particulier et que je ne travaille pour eux que parce qu'ils paient bien. Il est d'ailleurs normal qu'il en soit ainsi.

— J'avoue, dit Neele, qu'on s'étonne un peu de voir une jeune femme comme vous gouvernante. Intelligente et instruite...

— Je devrais être confinée dans un bureau ou classer des fiches dans un ministère? C'est ça que vous allez dire? Je ne suis pas de votre avis : je préfère mon emploi. Il est parfait, les gens étant disposés à payer n'importe quel prix pour que leur soient épargnés les soucis de la maison. Il n'y a rien d'aussi ennuyeux, il faut le reconnaître, que de recruter du personnel. Écrire aux agences, faire paraître des annonces dans les journaux, recevoir les candidats, les choisir... et ne pas se tromper sur leurs capacités, tout cela, c'est sans grand intérêt et pourtant difficile. Il ne l'est du reste pas moins de gouverner des domestiques...

— Lesquels ne répondent pas toujours à ce que l'on attend d'eux.

— Ça arrive! reprit-elle avec un sourire. Seulement, quand il le faut, je peux faire les chambres, faire la cuisine et servir à table pour parer aux défaillances. Je ne le dis pas trop, parce que ça *leur* donnerait peut-être des idées, mais je ne suis pas à la merci des caprices de ceux que j'ai sous mes ordres. D'ailleurs, généralement tout se passe bien. Je ne travaille que pour des gens très riches, qui entendent être bien servis et ne regardent pas à la dépense. Je donne des gages très élevés et j'ai vraiment le meilleur personnel qu'on puisse trouver.

— Comme votre maître d'hôtel, par exemple?

Elle sourit, amusée.

— Quand on a affaire à un ménage, il faut parfois composer. Je ne garde Crump qu'à cause de Mrs Crump, qui est une des meilleures cuisinières que j'aie jamais rencontrées. Une vraie perle, qui mérite qu'on fasse pour la conserver quelques sacrifices. Mr Fortescue aimait la table et Mrs Crump, qui pour sa cuisine peut acheter tout ce qu'elle veut, se trouve très bien ici. Quant à Crump, il est très acceptable. Son argenterie est bien entretenue et son service n'est pas tellement mauvais. Naturellement, je détiens les clés de la cave et je garde un œil sur le gin et le whisky.

Neele approuva du chef.

— Voyons la famille!

— Elle n'a rien de sympathique. Feu Mr Fortescue, je vous l'ai dit, était un personnage odieux. Prétentieux, tyrannique, foncièrement malhonnête, mais manœuvrant toujours de manière à ne pas tomber sous le coup de la loi. Il se vantait même, parfois, d'avoir, dans certaines affaires, roulé ceux qui traitaient avec lui. Il avait une trentaine d'années de plus que sa seconde femme, Adèle, qu'il connut à Brighton, où elle exerçait la profession de manucure, en espérant mieux, car elle se savait très belle. Le remariage de leur père a été, pour Percival et pour Elaine, un coup très dur à encaisser. Ils détestent Adèle, mais, très sagement, elle s'en moque et fait semblant de ne s'apercevoir de rien. Elle a ce qu'elle voulait. Pour elle, c'est le principal!

— Parlez-moi du fils.

— Percival? C'est un hypocrite, tout sucre et tout miel, mais rusé et adroit. Il craignait son père et il ne l'a jamais heurté de front, mais il a souvent manœuvré très habilement pour arriver à ses fins. Contrairement à son paternel, il aime l'argent pour l'argent. Il serait plutôt avare et c'est pour cela qu'il n'a pas encore une villa lui appartenant. En vivant ici, il fait des économies...

— Sa femme?

— Elle s'appelle Jennifer, elle est très effacée et passe pour une sotte. Pour moi, je ne la crois pas si bête que ça. Elle était infirmière dans un hôpital. Val est arrivé dans son service avec une pneumonie et, à la sortie, elle l'a épousé. Ce mariage a déçu le vieux Fortescue, qui, passablement, snob, rêvait pour son fils un « beau parti ». Il traitait la pauvre Jennifer du haut de sa grandeur et j'ai idée qu'elle ne l'aimait guère. Elle adore courir les magasins et aller au cinéma. Son principal grief contre son époux est qu'il ne lui donne pas autant d'argent qu'elle souhaiterait.

— La fille, maintenant!

— Elaine? Celle-là, je la plaindrais plutôt! Ce n'est pas une mauvaise fille, mais il semble qu'elle ne cessera jamais d'être une enfant. Elle fait du sport, elle s'intéresse aux éclaireuses, vous voyez le genre! Il y a quelque temps, elle flirtait avec un jeune instituteur. Malheureusement, il avait des idées très avancées. Quand Mr Fortescue a découvert ça, il a mis fin d'un coup à l'idylle...

— Elle n'a pas violemment protesté?

— Elle, si! Mais pas le jeune homme. Question d'argent, j'imagine. La pauvre Elaine n'est pas particulièrement jolie. Alors, n'est-ce pas?

— L'autre fils?

— Je ne l'ai jamais vu. Il paraît qu'il est très sympathique et qu'il ne vaut pas cher. Je me suis laissé dire qu'il avait, un jour, imité une signature sur un chèque. Il vit actuellement en Afrique orientale.

— Son père ne voulait plus le connaître ?

— Exactement. Mr Fortescue n'avait pu lui couper les vivres tout à fait, parce que, lorsque cette histoire est arrivée, Lancelot était déjà son associé, mais il est resté des années sans lui écrire et, quand on le nommait devant lui, il ne manquait jamais de s'écrier « Ne me parlez pas de cette fripouille ! Ce n'est pas mon fils ! » Pourtant...

— Pourtant ?

— Pourtant, je ne serais pas surprise que le vieux ait médité de faire revenir Lancelot.

— Qu'est-ce qui vous fait croire ça ?

— Une scène terrible qui a eu lieu, il y a à peu près un mois, entre Mr Fortescue et Percival. Le père avait découvert je ne sais quoi qui ne lui avait pas plu et les deux hommes ont eu une explication tumultueuse. Depuis, la cote de Percival a baissé de façon impressionnante. D'ailleurs, il a changé depuis ce moment-là.

— Mr Fortescue père ?

— Non, Percival. Il a l'air inquiet et préoccupé.

— Venons-en aux domestiques. Vous m'avez parlé des Grump. Voyons les autres !

— Il y a d'abord Gladys Martin. C'est la bonne. Elle s'occupe des pièces du rez-de-chaussée et elle seconde Crump quand il sert à table. C'est une brave fille, mais pas très intelligente.

— Ensuite ?

— La femme de chambre, Ellen Curtis, est une personne d'un certain âge, acariâtre et revêche, mais qui assure son service à la perfection. Les autres domestiques sont des femmes de charge, qui viennent de l'extérieur.

— Qui vit encore dans la maison?

— J'allais oublier! La vieille Miss Ramsbottom.

— Qui est-elle?

— La belle-sœur de Mr Fortescue, la sœur de sa première femme. Elle a plus de soixante-dix ans, car elle était beaucoup plus âgée que Mrs Fortescue, laquelle avait déjà plusieurs années de plus que son mari. Elle vit dans une chambre au second étage, où elle fait elle-même sa cuisine. Elle a une femme de ménage personnelle qui vient tous les jours. On tient la tante Effie, comme on l'appelle, pour originale et assez excentrique. Bien que n'aimant guère son beau-frère, qui l'ignorait, elle vivait avec les Fortescue depuis le mariage de sa sœur et elle est restée après la mort de celle-ci.

— Cette fois, nous n'avons oublié personne?

— Personne.

— Il ne reste donc plus que vous, Miss Dove.

— Vous voulez des détails sur moi? Allons-y! Je suis orpheline. J'ai pris des cours de secrétariat au Saint Alfred's Secretarial College, j'ai débuté comme sténo-dactylo et, après avoir fait deux ou trois places, j'ai découvert que le métier ne m'amusait pas et choisi celui qui est le mien aujourd'hui. Je l'ai jusqu'à présent exercé dans trois maisons différentes. Je reste un an ou dix-huit mois, puis je m'en vais, parce que j'aime le changement. Je suis à Yewtree Lodge depuis un an, exactement. Je remettrai au sergent Hay une petite note dactylographiée, indiquant les noms et adresses de mes précédents employeurs, avec copie des certificats qu'ils m'ont délivrés. Ça suffira?

— Certainement, Miss Dove.

Neele, un instant, garda le silence. Il imaginait Miss Dove cueillant des baies d'if, puis préparant la décoction qu'elle verserait dans le café de Mr Fostescue. Il poussa un léger soupir et, revenant à la réalité, il dit :

— J'aimerais voir la jeune Gladys et, ensuite, Ellen, la femme de chambre.

Se levant, il ajouta :

— Au fait, Miss Dove, vous serait-il possible de me dire si Mr Fortescue était susceptible d'avoir du grain dans ses poches ?

— Du grain ?

Elle regardait le policier avec une stupeur qui n'était pas feinte.

— Du grain, oui. Ça ne vous rappelle rien ?

— Rien du tout !

— Qui est-ce qui s'occupait de ses vêtements ?

— Crump.

— Bon. Mr Fortescue couchait dans la même chambre que sa femme ?

— Oui. Il avait sa salle de bains, et elle aussi, bien entendu.

Elle regarda sa montre-bracelet.

— Elle ne devrait plus tarder maintenant...

— Une chose qui me paraît drôle, dit Neele avec bonne humeur, c'est qu'on n'ait encore pu joindre Mrs Fortescue sur les links. Je sais qu'il y a trois golfs dans le voisinage, mais, malgré cela, il me semble...

— Ça vous étonnera moins, inspecteur, si Mrs Fortescue n'a pas été jouer au golf...

Neele haussa les sourcils.

— On m'a bel et bien dit qu'elle était allée jouer au golf.

— Elle est partie avec ses clubs, en annonçant qu'elle se rendait sur les links. Seulement, elle conduisait elle-même sa voiture...

Neele ne se méprit pas sur ce que la phrase donnait à entendre.

— Savez-vous, demanda-t-il, avec qui Mrs Fortescue devait jouer ?

— Non, mais ce serait avec Mr Vivian Dubois que la chose ne me surprendrait pas.

L'inspecteur hocha la tête sans rien dire. Miss Dove reprit :

— Je vous envoie Gladys. Elle sera morte de peur, je vous préviens...

A la porte, elle se retourna pour ajouter, après un petit temps de réflexion :

— A votre place, de tout ce que je vous ai raconté, j'en prendrais et j'en laisserais. Je suis d'une nature assez malveillante...

Elle s'en alla là-dessus. Les yeux sur la porte fermée, l'inspecteur songeait que, malveillante ou non, Miss Dove lui avait appris des choses bonnes à savoir. Si Rex Fortescue avait été empoisonné par l'un de ses proches, ainsi qu'il semblait probable, l'enquête à Yewtree Lodge ne manquerait pas d'intérêt.

Car, des raisons de supprimer Fortescue, plusieurs personnes semblaient bien en avoir.

CHAPITRE V

Gladys entra dans la pièce très à contrecœur, manifestement très ennuyée d'être obligée d'affronter un officier de police. C'était une grande fille sans attraits, qui, malgré ses vêtements propres, trouvait moyen d'avoir l'air peu soigné.

Elle commença par proclamer qu'elle n'avait « rien fait ». Neele, qui tenait à la mettre à l'aise, lui répondit qu'il n'en doutait pas et qu'il ne la faisait venir que pour lui demander quelques détails sur le petit déjeuner du matin. A peine assise, elle dit de nouveau :

— Ce n'est pas moi! Je n'ai rien fait.

— Vous avez tout de même bien mis le couvert?

— Ça, oui...

Elle en convenait, mais comme à regret. Elle avait si peur que son attitude était celle d'une coupable. Ce qui ne trompait nullement Neele, qui avait eu souvent affaire à des témoins du même genre. Avec bonne humeur, il expliqua qu'il désirait savoir dans quel ordre les hôtes de Yewtree Lodge arrivèrent à la salle à manger.

Elaine Fortescue était descendue la première, au moment même où Crump apportait le café.

Mrs Fortescue était venue ensuite, puis Mrs Percival, et enfin « le maître ». Chacun s'était servi.

Gladys n'apprenait rien à l'inspecteur. Tout ce qu'elle lui disait, il le savait déjà. Mr Fortescue, Mrs Fortescue et Miss Elaine avaient pris du café, Mrs Percival du thé. Tout s'était passé comme à l'accoutumée.

Gladys répondit de meilleure grâce aux questions que Neele lui posa ensuite sur elle-même. Après avoir débuté comme bonne à tout faire, elle avait servi pendant quelque temps dans les cafés, puis, au mois de septembre, elle s'était placée à Yewtree Lodge. Elle était donc là depuis deux mois.

— Et vous vous plaisez ici ?

— Ma foi, oui !... Évidemment, ce n'est pas comme dans un café... On est moins libre... Mais on n'est pas tout le temps sur ses jambes !

— Parlez-moi des vêtements de Mr Fortescue ! Qui est-ce qui les brossait ? C'était vous ?

Elle répondit avec empressement :

— En principe, c'était Mr Crump. Mais, la plupart du temps, il s'en déchargeait sur moi.

— Le complet qu'il portait aujourd'hui, c'est vous qui l'aviez brossé ?

— Il faudrait que je me rappelle lequel c'était, il en avait tant !

— Avez-vous jamais trouvé des grains dans ses poches ?

— Des grains ?

Elle regardait le policier avec ahurissement.

— Des grains de seigle, exactement.

— Comme ceux avec lesquels on fait du pain ?

— Si vous voulez... On en a trouvé dans la poche de son veston. Vous ne voyez pas comment ils auraient pu venir là ?

— Ma foi, non! C'est bien la première fois!

Neele dut se contenter de ça. En savait-elle plus long qu'elle ne voulait l'admettre? C'était possible. Elle répondait avec un certain embarras et se tenait sur la défensive. Mais bien des innocents ont ces mêmes réactions quand ils se trouvent en présence d'un policier.

— Alors, demanda-t-elle quand Neele lui rendit sa liberté, c'est bien vrai qu'il est mort?

— C'est bien vrai.

— C'est arrivé tout d'un coup, hein? Il paraît qu'on a téléphoné de son bureau pour dire qu'il avait eu une crise.

— C'est bien ça... si l'on veut.

— Ces crises, j'ai connu une petite qui en avait. Ça la prenait brusquement à n'importe quel moment. Et ça me fichait une frousse!

Après le départ de Gladys, Neele s'en fut à la cuisine, où il bénéficia d'une réception plutôt inquiétante. Une énorme femme, au visage rougeaud, marcha sur lui, l'air menaçant, un rouleau à pâtisserie dans la main droite.

— Oser venir jusqu'ici pour nous poser des questions! s'écria-t-elle. Vous saurez que je n'ai rien à me reprocher et il faut que vous ayez un rude culot pour oser prétendre que j'ai voulu empoisonner mes maîtres! Policier ou pas policier, nous verrons ce que les juges penseront de ça!

L'inspecteur eut quelque peine à calmer l'irascible cuisinière. Dans un coin, le sergent Hay suivait la scène avec intérêt et Neele devina à son demi-sourire qu'il avait dû, lui aussi, essuyer la colère de Mrs Crump.

Brusquement, Neele, ayant entendu la sonnerie

du téléphone, retourna vers le hall d'entrée. Il y trouva Mary Dove qui, l'écouteur à l'oreille, prenait des notes sur un bloc.

— Un télégramme, dit-elle, tournant la tête vers Neele.

La communication terminée, elle tendit la feuille de papier au policier. Le message, venant de Paris, était ainsi conçu :

Fortescue Yewtree Lodge Baydon Heath Surrey. Navré votre lettre retardée. Serai avec vous demain vers heure du thé. Espère rôti veau au dîner. Lancelot.

— Ainsi, murmura Neele, on avait rappelé l'enfant prodigue.

CHAPITRE VI

A l'heure où Rex Fortescue buvait sa dernière tasse de thé, Lance Fortescue et sa femme, assis sous les ombrages des Champs-Élysées, regardaient les passants.

— C'est très joli, Pat, de me dire : « Dis-moi comment il est! »... Seulement, ce n'est pas si facile que ça! Qu'est-ce que je te raconterais? Le paternel est un vieux bandit. Ce n'est pas ça qui te gênera! Tu as l'habitude.

Elle sourit.

— Comme tu dis! J'ai l'habitude.

Elle était grande, les jambes longues, pas très belle, mais attirante pourtant. Elle avait les cheveux châtains et de jolis yeux.

Elle garda le silence un instant, réfléchissant à ce que venait de dire son mari. Le monde était-il donc plein de coquins ou était-ce seulement qu'elle n'avait pas de chance? Qu'il y eût des fripouilles dans les milieux de courses, elle le savait. Allait-elle maintenant découvrir celles qui gravitent dans le monde de la finance? Elle le craignait. Ce qui la rassurait un peu, c'était le fait que son beau-père restait, au moins aux yeux de la loi, un honnête homme. Les malins s'arrangent toujours pour qu'il soit impossible, légalement, de rien leur reprocher. La réflexion valait pour Fortescue le père, mais non pour Lance, qu'elle aimait. Sans doute, il avait commis dans le passé quelques « sottises », mais elle en était convaincue, il demeurait en lui une sorte d'honnêteté foncière.

— Remarque bien, reprit Lance, que je ne veux pas dire que le « pater » est un faisan ! Seulement, il sait posséder l'adversaire !

— Il y a des moments, dit-elle, où je déteste les gens qui sont trop forts !

Elle ajouta :

— Tu l'aimes bien, hein ?

Malgré la forme interrogative, c'était une affirmation.

— Sais-tu, chérie, que ça pourrait bien être vrai ?

Pat éclata de rire, amusée. Il la regarda. Elle était charmante et il l'adorait. Elle valait tous les sacrifices.

— Dans un sens, dit-il, ça m'ennuie terriblement de rentrer à Londres. Je sais ce qui m'attend ! La journée dans la City et, le soir, le train de cinq heures dix-huit. Un genre de vie dont j'ai horreur. Moi, je préfère le mouvement... Mais, puisqu'il faut se ranger, rangeons-nous ! Si tu es là pour me tenir la main, ça peut même être amusant ! Le paternel s'amadoue, il faut en profiter ! Je dois reconnaître que sa lettre m'a surpris ! Percival, l'honnête Percival, le bon petit garçon par excellence, Percival maquillant ses écritures ! Il y a de quoi en rester assis. Note que Val a toujours été un sournois et un hypocrite...

— Il me semble que je ne vais pas l'aimer beaucoup, ton Percival !

— Je ne voudrais pas te braquer contre lui. Percy et moi, nous ne nous comprenons pas, voilà tout! Je claquais mon argent de poche, il mettait le sien de côté. J'avais des amis peu recommandables, mais amusants, il ne fréquentait, lui, que des gens « dignes d'être connus ». Il allait d'un côté, j'allais de l'autre. Moi, je l'ai toujours plaint d'être comme ça... Quant à lui, je me demande parfois s'il ne m'a pas toujours détesté. Je ne vois, d'ailleurs, pas pourquoi...

— Moi, je crois que je le vois!

— Vraiment, chérie?... Vois-tu, il m'arrive de me demander... C'est stupide à dire, évidemment... Pourtant...

— Dis-le quand même!

— Il m'arrive de me demander si ce n'est pas Percival qui était derrière cette histoire de chèque qui m'a valu d'être fichu à la porte par le paternel... avec le regret de m'avoir donné une part dans ses affaires, ce qui ne lui laissait plus la possibilité de me déshériter! Parce que ce chèque, si étrange que ce soit, ce n'est pas moi qui l'avais signé! On ne m'a pas cru, bien sûr. Dame! j'avais eu le tort, avant ça, de rafler de l'argent dans la caisse pour le mettre sur un cheval... Il devait gagner et j'aurais remboursé. Et, cet argent-là, je ne discute pas. Mais le chèque, c'est autre chose! Je ne sais pas pourquoi je me suis mis dans la tête cette idée ridicule que cette signature, c'est Percival qui l'a imitée, mais c'est un fait, je l'ai... et je l'ai bien!

— Mais c'est un faux qui ne lui aurait pas profité, puisque ce chèque devait être versé à ton compte!

— Je le sais bien. C'est une idée qui ne tient pas debout, hein?

— Tu veux dire... qu'il aurait fait ça pour que ton père se sépare de toi ?

— Je me le demande. Ce serait moche, pas ?... N'en parlons plus ! Je suis curieux de savoir comment Percy va prendre le retour de l'enfant prodigue. Les yeux vont lui sortir de la tête !

— Il sait que tu rentres ?

— Ça ne me paraît pas probable. Le paternel a un certain sens de l'humour et il aurait machiné sa petite plaisanterie sans rien dire à personne que ça ne m'étonnerait pas !

— Mais qu'est-ce que ton frère a pu faire pour lui déplaire à ce point-là ?

— Ça, je voudrais bien le savoir ! En tout cas, le « pater » a drôlement réagi. Pour m'écrire comme il l'a fait...

— Quand as-tu reçu sa première lettre ?

— Il y a quatre... non, il y a cinq mois. Une lettre assez réservée, mais où il laissait cependant voir qu'il me tendait le rameau d'olivier. « Ton aîné m'a très vivement déçu, sous différents rapports... J'ai l'impression que tu dois te rendre compte que le moment est venu pour toi de faire une fin... Je puis te promettre que, sur le plan financier, tu ne regretteras rien... Ta femme et toi, vous serez les bienvenus ! », etc., etc. Tu sais, chérie, que je crois qu'il a été très impressionné par mon mariage avec toi ? Une aristocrate...

Pat rit de bon cœur.

— Au blason quelque peu terni !

— Terni ou non, il n'a vu que le blason !... Tu comprendras mieux quand tu connaîtras la femme de Percival !

Le visage de Pat s'assombrit. Elle n'avait jamais pensé aux femmes de la famille et jamais Lance ne lui avait parlé d'elles.

— Ta jeune sœur, demanda-t-elle, comment est-elle ?

— Elaine? C'est une brave gosse. Elle était encore bien petite quand je suis parti, mais elle prenait déjà les choses trop au sérieux. J'espère que ça lui a passé!

— Elle ne t'a jamais écrit?

— Elle n'avait pas mon adresse, mais, l'aurait-elle eue, elle ne m'aurait pas écrit. Ce n'est pas le genre de la famille. Nous ne sommes pas très unis.

— Ah?

— Il ne faut pas que ça te chagrine! Ma famille, nous ne vivrons pas avec elle! Nous aurons notre petit chez nous quelque part, et tu auras tout ce que tu voudras : des chevaux, des chiens, etc.

— Et le train de cinq heures dix-huit!

— Il ne concerne que moi. Rassure-toi, chérie, il y a autour de Londres des petits coins charmants... et, depuis quelque temps, je sens monter en moi le génie de la finance! Pas étonnant, d'ailleurs. J'ai de qui tenir, des deux côtés.

— Tu te souviens de ta mère?

— Bien sûr! Comme d'une très vieille dame. Elle avait près de cinquante ans à la naissance d'Elaine. Elle portait des robes pailletées et je la revois, allongée sur un divan, en train de me lire des contes de chevalerie prodigieusement « rasoirs ». Elle ne devait pas avoir beaucoup de personnalité... Pourtant, je crois que je l'aimais bien.

Pat tourna la tête vers son mari.

— Tu dis ça... Mais je me demande si tu as jamais aimé quelqu'un!

Lancelot prit le poignet de sa femme et le serra bien fort dans ses doigts.

— Une chose sûre, répondit-il, c'est que, toi, je t'aime!

CHAPITRE VII

L'inspecteur Neele tenait encore à la main la feuille de papier que Miss Dove venait de lui remettre, quand un grincement de freins annonça qu'une voiture s'arrêtait devant le perron.

— Ça, dit Mary Dove, ce doit être Mrs Fortescue!

Neele alla vers la porte d'entrée. Il ne put s'empêcher de remarquer que Miss Dove, sans en avoir l'air, s'éloignait vers le fond de la maison. Manifestation de tact sans doute, mais aussi manque de curiosité, tout de même assez exceptionnel. Neuf femmes sur dix seraient restées...

L'inspecteur arriva à la porte en même temps que le maître d'hôtel. Crump, lui aussi, avait dû entendre la voiture. C'était une Rolls-Bentley, modèle sport. Deux personnes en descendirent, qui gravirent les marches du perron. La porte ouverte, Adèle Fortescue, fort surprise, s'immobilisa net devant Neele. Le policier eut tout loisir de la contempler avant qu'aucun mot ne fût échangé entre eux.

C'était une fort jolie femme, très évidemment consciente de sa beauté et de son pouvoir sur les hommes. Sensuelle, à n'en pas douter, aimant l'amour très probablement, mais l'argent encore plus. Derrière elle venait, portant ses clubs, un personnage en qui Neele identifia tout de suite Mr Vivian Dubois. On pouvait le situer du premier coup d'œil : un de ces messieurs qui « comprennent » les femmes, surtout quand elles sont pourvues d'un mari riche et déjà âgé.

— Mrs Fortescue ?

— C'est moi-même. Mais il ne me semble pas...

— Je suis l'inspecteur Neele et je vous apporte, j'en suis désolé, de très tristes nouvelles...

— On nous a cambriolés ?

— Non. Il s'agit de Mr Fortescue. Il a eu, ce matin, une indisposition fort grave...

— Rex ?

— Nous avons vainement essayé de vous joindre...

— Où est-il actuellement ? Vous l'avez ramené ici... ou bien...

— Il a été transporté au Saint Jude's Hospital... et il faut maintenant que vous vous montriez très forte, très courageuse...

— Vous n'allez pas me dire qu'il est mort ?

Avançant d'un pas, elle s'était accrochée au bras du policier. Comme un acteur consciencieux, Neele l'aida à entrer dans le vestibule. Crump s'agitait.

— Il lui faudrait un remontant !

— Eh bien ! dit Mr Dubois d'une belle voix grave, apportez-lui un verre de cognac.

En même temps, il ouvrait une porte conduisant à une pièce dans laquelle Neele entra, toujours soutenant Mrs Fortescue, Mr Vivian Dubois l'y suivit, puis bientôt Crump, porteur d'une bouteille et de deux verres.

Adèle Fortescue se laissa tomber dans un fauteuil et mit sa main sur ses yeux. Elle accepta le verre que l'inspecteur lui offrait, but une gorgée, puis dit :

— Merci !... Maintenant, dites-moi ce qui s'est passé ! Il a eu une attaque ?

— Non, pas une attaque...

— Vous avez bien dit que vous étiez un inspecteur de police ?

C'était Mr Dubois qui posait la question. Neele accompagna sa réponse d'un aimable sourire.

— Vous avez bien entendu. Je suis l'inspecteur Neele, du C.I.D.

Mr Dubois, involontairement sans doute, laissa comprendre par son attitude que la présence d'un détective lui était fort antipathique. Il avait eu un petit pincement des narines qui n'échappa pas au policier.

— Est-ce que cela signifie que Mr Fortescue serait mort dans des conditions suspectes ?

Neele ne s'occupait plus de Mr Dubois.

— J'ai bien peur, dit-il à Mrs Fortescue, qu'il soit impossible d'éviter une enquête...

— Une enquête ? Mais pourquoi ?

La voix de l'inspecteur se fit très douce pour expliquer à Adèle Fortescue que la police ne pouvait pas ne pas rechercher les causes exactes de la mort de son époux.

— Il nous faut, ajouta-t-il, établir très précisément ce que Mr Fortescue a pu manger ou boire ce matin, avant de partir pour son bureau.

— Vous voulez dire qu'il a été empoisonné ?

— C'est malheureusement très probable.

— Je ne peux pas le croire !... A moins que... Vous voulez dire empoisonné *par des aliments ?*

La fin de la phrase avait été prononcée si bas qu'elle n'était guère qu'un murmure.

— Qu'est-ce que vous aviez donc compris ? demanda Neele, impassible.

Faisant comme si elle n'avait pas entendu, elle reprit, très vite :

— Mais aucun de nous n'a été malade !

— Pouvez-vous l'affirmer en toute certitude pour tous les membres de la famille ?

— Non, évidemment, mais...

Dubois avait consulté sa montre avec ostentation.

— Ma chère Adèle, annonça-t-il, il faut que je me sauve ! Vous n'avez pas besoin de moi, n'est-ce pas ? Avec les domestiques, Crump, la petite Dove...

Elle leva vers lui un visage alarmé.

— Oh ! Vivian, restez je vous en prie !

C'était une prière, presque une supplication. Elle n'eut d'autre effet que de hâter encore la retraite de Vivian Dubois.

— Désolé, ma chère, mais j'ai un rendez-vous important. J'ajoute, ceci pour vous, inspecteur, que je suis à Dormy House. Si vous désirez me voir...

Neele hocha la tête. Il n'avait aucune envie de retenir Mr Dubois, mais il ne se trompait pas sur le sens de son départ précipité. Mr Dubois fuyait les complications.

Son chevalier servant parti, Adèle Fortescue crut devoir justifier son propre comportement.

— C'est une chose terrible, inspecteur, que de rentrer chez soi et d'y trouver la police !

— Je n'en doute pas, madame. Seulement, il nous fallait agir vite pour trouver, encore intacts, les restes de ce qui a été consommé au petit déjeuner : le thé, le café...

— Mais ils n'étaient pas empoisonnés! Le jambon n'était pas très bon, mais ce n'est pas la première fois que cela arrive...

— Ne vous tourmentez pas, madame, et dites-vous bien que les erreurs les plus invraisemblables sont possibles! Je me suis occupé un jour d'une affaire d'empoisonnement par la digitaline. L'enquête a prouvé qu'on avait pris des feuilles de digitale pour des feuilles de raifort!

— Vous croyez qu'une confusion de ce genre...

— L'autopsie nous renseignera.

Mrs Fortescue avait pâli. L'inspecteur poursuivit :

— Il y a beaucoup d'ifs autour de la maison. Il ne se pourrait pas, par hasard, que des feuilles d'if, ou des baies, aient été prises...

Elle le regardait avec stupeur.

— Ce serait du poison?

Le ton manquait de naturel.

— On a vu des enfants s'empoisonner avec des baies d'if...

Adèle Fortescue porta ses deux mains à son front.

— Restons-en là, voulez-vous? Je sens que j'ai besoin de m'étendre. Ces questions-là, vous devriez les poser à Mr Percival Fortescue! Il vous expliquera tout...

— J'ai bien l'intention de le voir. Malheureusement, il est en voyage...

— Je l'oubliais. Excusez-moi!

— Une dernière question, madame. Dans la poche de votre mari, il y avait une petite quantité de grains. Pouvez-vous me dire ce qu'ils faisaient là?

Elle secoua la tête négativement. Il risqua une hypothèse.

— Une farce, peut-être ?

— Qu'on lui aurait faite ? Je ne vois pas ce qu'elle aurait eu de drôle.

Neele n'insista pas.

— Je ne vous ennuierai pas plus longtemps, reprit-il. Voulez-vous que je vous envoie quelqu'un ? Miss Dove, par exemple ?

— S'il vous plaît ?

Il était clair que Mrs Fortescue n'avait pas entendu la question. Il se demanda à quoi elle pensait. Cependant, fouillant dans son sac pour en extraire son mouchoir, elle poursuivait :

— C'est épouvantable !... Je commence seulement à me rendre compte... Jusqu'à présent, j'étais comme assommée ! Mon pauvre Rex !

Elle se moucha et essuya quelques larmes, presque sincères. L'inspecteur la regarda un instant, sans mot dire, puis s'en alla vers la porte. La main sur le bouton, il se retourna et dit :

— Je vous envoie quelqu'un.

Il sortit et, avant de s'éloigner, jeta un dernier coup d'œil dans la pièce. Adèle Fortescue se tamponnait toujours les yeux avec son mouchoir, mais sa bouche était visible.

Et un léger sourire errait sur ses lèvres.

CHAPITRE VIII

1

Le sergent Hay faisait son rapport à son chef.

— J'ai saisi ce que j'ai pu. De la confiture, un morceau de jambon, du thé, du café et du sucre. On verra ce qu'on peut en tirer. Les marcs étaient jetés, mais il restait pas mal de café... Les domestiques en avaient bu, après les maîtres. C'est un point important.

— Exact. Le poison, s'il l'a absorbé avec son café, aurait été versé dans sa tasse.

— Oui, chef. Sans en avoir l'air, je me suis renseigné sur les baies d'if... Il ne semble pas qu'il y en ait dans la maison. Pas de feuilles non plus. Et personne ne semble savoir pourquoi il avait du grain dans sa poche... Évidemment, il y a des gens qui ne veulent se mettre dans le corps que des aliments crus. Ça commence avec les carottes râpées et on ne sait pas avec quoi ça finit. Seulement, il n'était pas de ceux-là...

Le téléphone sonna. Sur un signe de Neele, le sergent bondit vers le récepteur, pour répondre. Il le passa immédiatement à son chef. Scotland Yard faisait savoir qu'on avait réussi à joindre Mr Percival Fortescue, lequel rentrait à Londres sans délai.

Comme l'inspecteur posait l'appareil, une voiture s'arrêtait devant le perron. Crump alla à la porte et s'effaça tout aussitôt, pour laisser entrer une jeune femme, qu'il débarrassa auparavant des nombreux paquets qu'elle avait sur les bras.

— Merci, Crump. Vous voulez payer le taxi?... Je meurs de faim et je vais prendre le thé tout de suite. Mrs Fortescue et Miss Elaine sont rentrées?

Le maître d'hôtel répondit après une légère hésitation :

— Nous avons de terribles nouvelles, madame. Mr Fortescue...

— Mr Fortescue?

L'inspecteur Neele arrivait. Crump se tourna vers lui.

— Mrs Percival, dit-il.

Celle-ci, cependant, s'impatientait.

— Enfin, qu'est-il arrivé? Un accident?

L'inspecteur la regardait. C'était une femme plutôt grosse, à la lèvre désabusée. Elle devait avoir une trentaine d'années.

— Je suis, dit-il, navré d'avoir à vous apprendre, madame, que Mr Fortescue, pris d'une indisposition subite à son bureau, a été transporté ce matin au Saint Jude's Hospital et qu'il y est mort.

— Mort?

La nouvelle était manifestement plus « sensationnelle » encore qu'elle n'avait supposé.

— Voilà, poursuivit-elle, qui est tout à fait inattendu! Mon mari est absent. Il faudrait le joindre. Il est dans le Nord. Je ne sais pas où, mais on doit pouvoir vous renseigner à son bureau. C'est lui qui devra s'occuper de tout. Les choses arrivent toujours au moment où elles tombent le plus mal!

Elle se tut, réfléchissant.

— Il est vrai, reprit-elle, que ça dépend un peu de l'endroit où auront lieu les obsèques. Les fera-t-on ici ou à Londres?

— C'est à la famille qu'il appartient d'en décider.

— Bien sûr. Je me demandais, simplement...

Pour la première fois, elle parut s'apercevoir qu'elle n'avait jamais vu l'homme à qui elle parlait.

— Au fait, demanda-t-elle, qui êtes-vous? Un médecin?

— Non, madame. Un officier de police. La mort de Mr Fortescue...

— On l'a *assassiné?* C'est ce que vous voulez dire?

Neele ne quittait point des yeux le visage de Mrs Percival.

— Qu'est-ce qui vous fait croire ça? demanda-t-il.

— Rien. Je sais seulement que ce sont des choses qui se voient... et, comme vous êtes de la police, j'ai pensé... Vous l'avez vue? Qu'est-ce qu'elle dit?

— A qui faites-vous allusion, madame?

— A Adèle, bien sûr! J'ai toujours dit à Val que son père avait commis une folie le jour où il avait épousé une femme de vingt ans plus jeune que lui. Vous voyez que j'avais raison!... Nous sommes dans de beaux draps, tous, autant que nous sommes! On va parler de nous dans les journaux et nous n'avons pas fini de voir des reporters!

Il y eut un silence. Puis elle reprit :

— C'était de l'arsenic?

— La cause du décès n'est pas encore établie de façon certaine. Il faut attendre les résultats de l'autopsie...

— Mais vous avez bien une idée là-dessus ! Sans ça, vous ne seriez pas ici... J'imagine que vous avez demandé ce qu'il a mangé et bu, hier soir et ce matin. C'est bien ça ?

Neele répondit prudemment qu'il était possible que Mr Fortescue eût été empoisonné par quelque aliment absorbé par lui au petit déjeuner.

— Au petit déjeuner ? Ça me paraît bien improbable...

Hochant la tête, elle ajouta :

— Je ne vois pas comment elle aurait pu s'y prendre... A moins qu'elle ne lui ait versé quelque chose dans son café, pendant qu'Elaine et moi nous regardions ailleurs...

Dans son dos, une voix dit gentiment :

— Votre thé vous attend dans la bibliothèque, madame !

Mrs Val sursauta.

— Merci, Miss Dove, dit-elle ensuite. Une tasse de thé me fera du bien. Vous n'en accepteriez pas une, monsieur... l'inspecteur ?

— Non, merci, pas maintenant !

Après une légère hésitation, Mrs Percival s'en alla. Quand elle eut disparu, Miss Dove dit doucement :

— Je me demande si elle connaît le sens du mot « calomnie ».

Neele ne répondit pas.

— Puis-je quelque chose pour vous ? reprit-elle.

— Vous pourriez me dire où trouver Ellen.

— Elle est en haut. Je vais vous conduire...

2

Ellen était de mauvaise humeur, mais nullement intimidée.

— Puisque vous voulez le savoir, déclara-t-elle, je vous dirai que je trouve cette histoire lamentable et que je n'aurais jamais cru qu'un jour viendrait où je me trouverais mêlée à une aventure pareille. Notez que, d'un sens, elle ne m'étonne pas ! Il y a longtemps que j'aurais dû donner mes huit jours. Je n'aime pas la façon dont on me parle dans cette maison, je n'aime pas la façon dont on y boit et, en général, la façon dont on s'y conduit. Je n'ai rien contre Mrs Crump, mais Crump et cette Gladys n'ont pas la moindre idée de ce qu'est le service ! Ce n'est d'ailleurs pas à eux que je pense quand je dis ça, mais à ce qui se passe dans cette maison.

— Et que se passe-t-il donc ? demanda Neele, intéressé.

— Vous ne tarderez pas à le savoir si vous ne le savez pas encore ! Tout le monde en parle. On raconte qu'on va jouer au golf, ou au tennis... Et ce que j'ai vu, c'est de mes yeux que je l'ai vu ! La porte de la bibliothèque était ouverte et ils étaient là à se cajoler et à s'embrasser...

Le ton exprimait toute la rancœur de la vieille fille qui n'a jamais trouvé un mari et qui le regrettera jusqu'à la fin de ses jours. Bien que la question fût à peine nécessaire, Neele demanda de qui elle parlait.

— De qui voulez-vous que ce soit, sinon de la patronne et de ce type qui ne la quitte jamais ? Ah ! ils ne se gênaient pas ! Ce qui n'empêche que

Mr Fortescue se doutait de quelque chose... Même qu'il avait mis quelqu'un pour les surveiller... Ça devait, forcément, finir par un divorce. Au lieu de ça, vous voyez ce que nous avons !

— C'est-à-dire ?

— Vous le savez aussi bien que moi, puisque vous avez demandé ce qu'il a bu et ce qu'il a mangé ! Si vous voulez mon avis, ils sont coupables tous les deux. C'est lui qui s'est procuré le poison et c'est elle qui le lui a administré. Pour moi, c'est sûr comme deux et deux font quatre !

— Avez-vous jamais vu des baies d'if traîner dans la maison ?

Les petits yeux d'Ellen s'amenuisèrent encore.

— Des baies d'if ? C'est du poison et j'étais toute petite que je savais déjà qu'il ne fallait pas y toucher. C'est de ça qu'on s'est servi ?

— On ne peut encore rien affirmer.

— Je ne peux pas dire que je l'ai vue en train de manipuler des baies d'if, déclara Ellen, visiblement à regret.

Neele lui demanda s'il arrivait à Fortescue d'avoir du grain dans ses poches.

— Pas que je sache !

Il posa encore quelques questions, puis exprima le désir de voir Miss Ramsbotton.

— Je peux aller voir si elle veut vous recevoir, dit Ellen, mais il n'y a pas beaucoup de chances pour qu'elle veuille. Elle est très vieille, vous savez, et un peu drôle !

L'inspecteur insista et, à contrecœur, Ellen consentit à le conduire jusqu'à la vieille dame. Ils suivirent un couloir et gravirent un petit escalier. Ellen frappa à une porte, attendit qu'on eût répondu, puis ouvrit et annonça qu'un « monsieur » désirait parler à Miss Ramsbottom. Neele n'entendit pas la réponse, mais il comprit, sur un signe d'Ellen, qu'elle était affirmative. Il entra.

La pièce était encombrée de meubles, entre lesquels on évoluait avec difficulté. Neele eut l'impression de pénétrer dans un intérieur datant de la reine Victoria, pour le moins. Assise à une table, près d'un radiateur à gaz, une vieille dame faisait une réussite. Elle était vêtue d'une robe marron et des mèches blanches tombaient sur ses joues. Sans lever la tête, elle dit :

— Entrez! entrez! Et asseyez-vous, si ça vous fait plaisir !

Il semblait assez malaisé de profiter de l'invitation, tous les sièges étant chargés de brochures d'inspiration religieuse. Neele manœuvra pour aller s'asseoir sur le canapé, auprès de Miss Ramsbottom.

— Le travail missionnaire vous intéresse? lui demanda-t-elle, comme il s'installait.

— Je n'oserais l'affirmer.

— Dommage ! reprit-elle. Les vrais chrétiens, c'est maintenant en Afrique qu'on les rencontre. J'en avais un ici, la semaine dernière. Un jeune clergyman... Noir comme l'ébène... Mais il avait la foi...

L'inspecteur Neele ne savait que dire. Sa surprise s'accrut quand la vieille demoiselle lui déclara paisiblement qu'elle n'avait point la radio.

— Plaît-il? murmura-t-il.

— Je dis que, si vous êtes venu percevoir la taxe radiophonique, vous vous êtes trompé de porte. Je n'ai pas de poste.

— Il ne s'agit pas de cela.

— Alors, qu'est-ce que vous me voulez?

— J'ai la douleur de vous apprendre, Miss Ramsbottom, que votre beau-frère, Mr Fortescue, a été pris ce matin d'une indisposition subite et qu'il est décédé.

Miss Ramsbottom n'avait pas cillé : elle continuait sa réussite.

— Ainsi, dit-elle d'une voix égale, l'orgueilleux pécheur a fini par être frappé. Ça devait arriver !

— La nouvelle ne vous chagrine pas ?

C'était l'évidence même, mais Neele tenait à savoir ce que la vieille demoiselle allait répondre. Le regardant par-dessus ses lunettes, elle dit simplement :

— Non. Rex Fortescue a toujours vécu dans le péché et je n'avais aucune affection pour lui.

— Sa mort a été soudaine...

— Ainsi qu'il est bien qu'elle soit pour l'athée...

— Et il est possible qu'il ait été empoisonné.

L'inspecteur se tut, guettant la réaction de Miss Ramsbottom. Il n'y en eut aucune : elle continuait à déplacer ses cartes.

— Je mets le sept noir sur le huit rouge, ce qui libère mon roi...

Apparemment surprise par le silence de Neele, elle s'interrompit, une carte à la main et, tournant la tête vers lui, elle dit :

— Vous attendez que je dise quelque chose ? Qu'est-ce que je vous dirais ? Ce n'est pas moi qui l'ai empoisonné, si c'est ça que vous voulez savoir.

— Et vous n'avez pas une idée de qui ce pourrait être ?

La voix de la vieille demoiselle se fit sévère.

— Voilà une question bien impudente. Dans cette maison vivent deux des enfants de ma sœur, qui est morte. Je me refuse à croire que quelqu'un, dans les veines de qui coule le sang des Ramsbottom, puisse se rendre coupable d'un meurtre. Car c'est bien d'un meurtre qu'il s'agit, n'est-ce pas?

— Je n'ai pas dit ça, madame.

— Et qu'est-ce que ce serait d'autre? Il y a des tas de gens qui, un jour ou l'autre, ont eu envie d'assassiner Rex Fortescue. L'homme était sans scrupules... et les vilaines actions finissent toujours par se payer.

— Vous pensez à quelqu'un?

Miss Ramsbottom balaya ses cartes d'un revers de main et se leva.

— Je crois, dit-elle, qu'il est temps que vous vous retiriez.

Elle parlait sans colère, mais d'un ton ferme.

— Si vous voulez un conseil, reprit-elle, cherchez du côté des domestiques. Ce maître d'hôtel m'a tout l'air d'un fieffé coquin et la petite bonne n'est certainement pas normale. Bonsoir, monsieur !

Neele se retrouva dans le couloir. Assez mécontent de lui. La vieille demoiselle ne manquait pas de personnalité et il n'y avait rien à tirer d'elle. Il descendit l'escalier et, dans le vestibule, se heurta presque à une grande fille brune. Vêtue d'un imperméable mouillé, elle leva vers lui un visage étrangement pâle.

— Je rentre à l'instant, dit-elle, et on me dit... que papa... est mort.

— Ce n'est malheureusement que trop vrai, j'en ai peur !

Elle tendit la main derrière elle, comme pour s'appuyer sur quelque chose. Ses doigts se posèrent sur un grand coffre en chêne. Neele l'aida à s'asseoir dessus. Elle pleurait, de grosses larmes roulant sur ses joues.

— C'est terrible ! Je ne savais même pas que je l'aimais... Je croyais le détester... Et ce n'était pas vrai... Sans ça, est-ce que je pleurerais ?

Elle regardait droit devant elle, à travers ses larmes, sans rien voir.

— Le plus épouvantable, poursuivit-elle, se parlant à elle-même, c'est que ça arrange tout ! Maintenant, rien ne s'oppose plus à ce que j'épouse Gerald ! Je suis libre, je peux faire ce que je veux ! Seulement, que ça arrive comme ça, non ! ... Je ne veux pas que papa soit mort, je ne veux pas !... Ce n'est pas possible !... Papa !

Pour la première fois depuis son arrivée à Yewtree Lodge, l'inspecteur Neele voyait — avec une certaine surprise — quelqu'un pleurer sincèrement le disparu.

CHAPITRE IX

L'Assistant Commissioner [1] avait écouté avec attention le rapport, bref, mais complet pourtant, de l'inspecteur Neele.

— Pour moi, dit-il, c'est la femme. Qu'en pensez-vous, Neele?

L'inspecteur avoua que c'était assez son avis. Il ajouta, avec un brin de cynisme, que, dans les affaires de ce genre-là, c'était toujours la femme. Ou, parfois, le mari.

— Elle a pu commettre le crime, reprit l'Assistant Commissioner. Avait-elle un mobile?

— Je le crois, dit Neele. Il y a ce Mr Dubois, n'est-ce pas?

— Il serait complice?

— Je n'irais pas jusque-là, répondit l'inspecteur. J'ai idée qu'il tient trop à sa peau pour la risquer bêtement. Il a dû deviner les intentions de la femme, mais je ne pense pas qu'il lui ait suggéré d'empoisonner son mari.

— Trop prudent pour ça?

— Beaucoup trop !

[1] Un des plus hauts fonctionnaires de Scotland Yard.

— Bon. Réservons nos conclusions et retenons l'hypothèse. *Quid* des deux autres qui, elles aussi, auraient pu verser le poison dans la tasse ?

— La fille et la belle-fille ? La première prétendait épouser un jeune homme dont son père ne voulait pas pour gendre et qui ne voulait, lui, se marier qu'avec de l'argent à la clé. Elle avait donc un *mobile*. Quant à la belle-fille, j'en sais encore trop peu sur son compte pour me prononcer. Ce que je sais, c'est qu'elles sont trois qui ont eu la possibilité d'administrer le poison et que je ne vois personne d'autre qui aurait pu le faire. Sans doute, les domestiques ont tous préparé ou servi le petit déjeuner, mais comment l'un d'eux aurait-il pu manœuvrer pour être sûr que ce serait Fortescue qui absorberait la taxine ? Si c'était de la taxine, bien entendu...

— C'était bien de la taxine. Je viens de recevoir un avant-rapport...

— Alors, le point est réglé.

— *Quid* des domestiques ?

— Rien à signaler en ce qui les concerne.

— Donc, pas d'autres suspects.

— Il ne me semble pas.

Ce disant, Neele pensa qu'il aurait dû pourtant parler de Mary Dove, peut-être moins innocente qu'elle ne l'assurait.

— Maintenant que nous sommes fixés sur la nature du poison, reprit-il, il ne nous reste plus qu'à découvrir comment on s'est procuré cette taxine et comment on l'a préparée.

— Je vous fais confiance, Neele. Au fait, j'oubliais. Mr Percival Fortescue est ici. J'ai échangé quelques mots avec lui tout à l'heure et je l'ai fait attendre, afin que vous le voyiez. Quant à l'autre fils, nous avons fini par le situer. Il est à Paris, au Bristol, et il rentre aujourd'hui. J'imagine que vous enverrez quelqu'un à sa rencontre à l'aéroport...

— Naturellement.

— Parfait ! Sur quoi, je vous libère, Neele ! Allez voir Mr Percival Fortescue.

Avec un petit rire, l'Assistant Commissioner ajouta.

— Dans le genre « tiré à quatre épingles », on ne fait pas mieux !

Mr Percival Fortescue était effectivement un monsieur fort distingué. Agé d'une trentaine d'années, il avait de beaux cheveux blonds et son langage, assez précieux, n'était pas dénué de pédantisme.

— Ainsi que vous le supposez très certainement, inspecteur, la mort de mon regretté père a été pour moi un coup terrible.

— Je ne le comprends que trop bien, dit Neele avec courtoisie.

— Ce que je puis affirmer, c'est que mon père se portait parfaitement bien avant-hier, quand j'ai pris congé de lui. Il a, m'a-t-on dit, été victime d'une intoxication alimentaire et son décès a été rapide.

— Son décès a été rapide, mais il n'y a pas eu intoxication alimentaire.

Percival fronça le sourcil.

— Non? C'est donc ce qui explique...

Il n'acheva pas sa phrase.

— Votre père, reprit Neele, a été empoisonné par de la taxine.

— De la taxine? Je n'ai jamais entendu parler de ça.

— Ce n'est pas étonnant. Peu de gens connaissent

la taxine. C'est un poison qui agit très vite et contre lequel on ne peut pas grand-chose.

Les rides se firent plus profondes sur le front de Percival.

— Dois-je comprendre, inspecteur, que mon père a été délibérément empoisonné par quelqu'un ?

— Tout le donne à penser.

— Mais c'est épouvantable !

Neele répéta le mot après lui, sur le ton convenable.

— Je comprends maintenant, dit Percival à mi-voix, pourquoi les médecins de l'hôpital avaient devant moi une attitude embarrassée.

Il demanda :

— Les obsèques ?

Neele ne répondit pas directement à la question.

— L'enquête du coroner aura lieu demain, après l'autopsie. Elle sera de pure forme et le verdict sera renvoyé à une date indéterminée.

— C'est l'habitude ?

— Maintenant, oui.

— Puis-je vous demander si vous avez quelque idée sur le crime... et sur l'assassin ? Avez-vous des soupçons ?

— Il est encore bien tôt pour cela...

— Oui, bien sûr.

— Ce qui pourrait nous aider, monsieur Fortescue, ce serait quelques indications sur les dispositions testamentaires du défunt. Peut-être pourriez-vous me mettre en rapport avec ses *solicitors?*

— Je le ferai volontiers. C'étaient Billingby, Horsethorpe et Walters, de Bedford Square. Quant au testament, je crois être en mesure de vous dire ce que sont ses dispositions essentielles.

— Je vous écoute, si vous le voulez bien, monsieur Fortescue. Mon devoir professionnel m'oblige à ces curiosités, malheureusement inévitables.

— Mon père a refait son testament, il y a deux ans, à l'occasion de son mariage. Il laisse à sa femme une somme de cent mille livres sterling en toute propriété, et une somme de cinquante mille livres sterling à ma sœur Elaine. Le reste me revient. J'étais déjà, vous le savez sans doute, l'associé de mon père dans ses affaires.

— Il n'y a aucun legs à votre frère Lancelot Fortescue ?

— Aucun. Mon père et mon frère étaient brouillés depuis longtemps.

Neele observait Percival. Celui-ci semblait très sûr de ce qu'il affirmait.

— Ainsi, dit l'inspecteur, les trois personnes appelées à bénéficier du testament sont Mrs Fortescue, Miss Elaine Fortescue et vous-même ?

Percival poussa un soupir.

— Bénéficiaire, je le serai à peine. Les droits successoraux sont élevés et mon père, en ces derniers temps, avait fait quelques opérations... disons fâcheuses.

— Votre père et vous, vous aviez des vues différentes en affaires ?

L'inspecteur posait la question sur le ton de la conversation.

— J'aurais voulu qu'il partageât ma manière de voir. Malheureusement...

Un haussement d'épaules remplaça la fin de la phrase.

— N'auriez-vous pas essayé de la lui imposer à toute force ? demanda Neele. N'avez-vous pas eu avec lui une violente dispute ?

Percival rougit.

— Une dispute, ce serait trop dire !

— Vous êtes sûr ?

— Nous ne nous sommes pas disputés.

— Soit !... Ça n'a d'ailleurs aucune importance ! Si j'ai bien compris, votre père et votre frère étaient toujours brouillés ?

— Toujours.

— Alors, pouvez-vous me dire ce que ceci signifie ?

Neele présentait à Percival le message téléphonique noté par Miss Dove. Percival le lut et ne put retenir une exclamation de surprise ennuyée.

— Je ne comprends pas, dit-il ensuite. Et j'ai peine à croire ça !

— C'est pourtant un message authentique. Votre frère arrive de Paris aujourd'hui.

— C'est extraordinaire ! Positivement *incroyable !*

— Votre père ne vous avait pas prévenu ?

— *Certainement pas !* Et le procédé est inadmissible ! Il fait revenir Lance et il ne m'en souffle pas un mot !

— Vous n'avez aucune idée de la raison qui put le décider à rappeler votre frère ?

— Aucune ! Cependant, d'après son comportement dans les dernières affaires dont il s'occupa, on pouvait s'attendre à ce revirement. C'est insensé, et ça ne peut pas durer, je vais...

Percival s'interrompit brusquement, soudain très pâle.

— Excusez-moi ! dit-il. J'oubliais que mon père n'est plus.

Neele hocha la tête, pour montrer qu'il comprenait.

Percival se leva, pour partir.

— Inspecteur, dit-il, je suis à votre disposition pour tous les renseignements dont vous pourriez avoir besoin. Il vous suffira de me téléphoner. Mais j'imagine... que nous vous verrons à Yewtree Lodge ?

— Très certainement, monsieur Fortescue. D'ailleurs, un de mes hommes est là-bas en ce moment...

Après le départ de Percival, Neele resta campé au milieu de la pièce, réfléchissant. Ses yeux rencontrèrent ceux du sergent Hay. Celui-ci, assis dans un coin, n'avait pas perdu un mot de l'entretien.

— Qu'est-ce que vous pensez de tout ça, monsieur ? finit-il par demander.

— Je n'en sais trop rien.

Puis, souriant un peu, il dit :

— Tous ces gens-là sont bien antipathiques.

Le sergent Hay, à qui la citation échappait, ouvrant de grands yeux, il ajouta :

— C'est dans *Alice au pays des merveilles !* Vous n'allez pas me dire que vous ne connaissez pas *Alice*, Hay ?

Le sergent eut un sourire niais.

— Les classiques, moi, vous savez...

CHAPITRE X

Cinq minutes après que l'avion eut décollé du Bourget, Lance Fortescue ouvrit son *Daily Mail*, édition continentale. Peu après, il lâchait une exclamation de surprise. Pat, assise à côté de lui, tourna la tête vers lui.

— Qu'y a-t-il?

— C'est le paternel !... Il est mort.

— Mort? Ton père?

— Il semble qu'il a été pris d'un malaise à son bureau et qu'il est mort au St. Jude's Hospital, où il avait été transporté.

Pat prit la main de son époux dans la sienne.

— Mon pauvre Lance !... Qu'est-ce qu'il a eu? Une attaque?

— Probablement.

— Il en avait déjà eu?

— Non. Autant que je sache...

— Je croyais que la première attaque n'était jamais fatale...

— Pauvre vieux *pater !* Je ne croyais pas avoir beaucoup d'affection pour lui, mais, maintenant qu'il est mort...

— Mais tu l'aimais !

— Tout le monde n'est pas aussi gentil que toi, Pat. En tout cas, pour moi, c'est un sale coup !

— Oui. Et il meurt juste quand tu rentres en Angleterre ! C'est curieux...

— Curieux ? Qu'est-ce que tu veux dire par là ?

Elle le regarda, un peu surprise.

— Je pense à la coïncidence...

— Tu veux dire qu'il suffit que j'entreprenne quelque chose pour que...

— Mais non, chéri ! Seulement, quand même, ce n'est pas de chance !

— Ça, on peut le dire !

Pat, sans rien ajouter, pressa longuement la main de son mari dans la sienne.

A l'arrivée à Heath Row, comme ils s'apprêtaient à descendre de l'avion, un employé de la compagnie vint demander « si Mr Lancelot Fortescue se trouvait parmi les passagers ». Suivi de Pat, Lance s'avança. Ils furent les premiers sur le terrain.

Tandis qu'ils s'éloignaient, Lance entendit une dame dire à mi-voix à son époux :

— Il s'agit sans doute de contrebandiers qui se seront montrés moins malins qu'il ne faut l'être dans la profession...

2

— C'est fantastique, dit Lance. Fantastique, simplement.

L'inspecteur Neele, qui était assis en face de lui, de l'autre côté de la table, hocha la tête en signe d'approbation.

— Ça fait songer à un mauvais mélodrame, reprit Lance. Pour vous, bien sûr, une affaire d'empoisonnement, ça n'a rien de tellement exceptionnel. Mais, pour quiconque connaît ma famille, c'est inimaginable !

— Vous n'avez donc pas la moindre idée sur l'identité du criminel ?

— Pas la moindre ! Que mon père se soit fait dans le monde des affaires des ennemis nombreux, que des quantités de gens eussent été heureux de lui arracher les yeux, au sens figuré, et de le ruiner littéralement, je n'en doute pas ! Mais qu'il y ait eu quelqu'un pour l'empoisonner, ça me stupéfie ! De toute façon, je ne puis pas savoir grand-chose, étant donné qu'il y a déjà bon nombre d'années que je vis à l'étranger et que j'ai perdu le contact.

— C'est un peu de cela que je voulais vous parler, dit l'inspecteur. D'après ce que m'a expliqué votre frère, vous avez été brouillé avec votre père pendant plusieurs années. Pouvez-vous me dire pourquoi vous avez consenti à revenir chez lui, après tout ce temps ?

— Très volontiers, inspecteur. C'est il y a six mois, peu après mon mariage, que mon père m'a donné de ses nouvelles, par une lettre dans laquelle il me laissait entendre qu'il était tout prêt à oublier nos dissentiments d'autrefois et à me faire une place dans ses affaires. Il ne précisait rien et je n'étais pas tellement sûr que les propositions qu'il pourrait me faire seraient susceptibles de m'intéresser, mais, malgré cela, étant venu en Angleterre en août dernier, il y a tout juste trois mois, j'allai le voir. Il m'offrit une situation fort avantageuse, mais je ne voulus pas l'accepter tout de suite. Je tenais à consulter ma femme. Il me dit qu'il comprenait très bien ça et je repris l'avion pour l'Afrique orientale. Je discutai la chose avec Pat et, finalement, nous décidâmes d'accepter. Il me fallait liquider les affaires que j'avais là-bas, ce qui devait être fait à la fin du mois dernier. J'en informai mon père, ajoutant que je lui ferais connaître par téléphone la date exacte de mon arrivée en Angleterre.

L'inspecteur Neele toussota.

— Votre retour semble avoir quelque peu surpris votre frère ?

Lance eut un sourire qui n'était pas exempt de malice.

— Je suis convaincu que Percy ne s'attendait pas à me voir. Lors de ma visite, il était en Norvège, où il prenait des vacances et je suis persuadé que mon père ne le mit au courant de rien ; je crois même que, s'il décida alors de me rappeler, c'est parce qu'il eut une violente discussion avec Percy. Si je ne me trompe, mon frère aura voulu mettre le vieux dans sa poche, et celui-ci s'est rebiffé. J'ignore le sujet exact de la dispute, mais je suis persuadé que c'est pour réagir contre Percy que père m'a demandé de rentrer. D'autre part, il n'a jamais aimé la femme de Percy, tandis, qu'étant un peu snob, il s'est montré assez satisfait de mon mariage.

— Quand vous êtes venu à Yewtree Lodge, combien de temps êtes-vous resté ?

— Une heure ou deux, pas plus. Mon père ne m'a pas demandé d'y passer la nuit. Je vous le répète, il tenait surtout, autant qu'il m'a semblé, à ce que tout soit terminé avant que Percy se doute de quoi que ce fût. Ainsi que je vous l'ai dit, il était entendu que je réfléchirais et que je ferais connaître ma décision. C'est ce que j'ai fait. J'ai envoyé une lettre à mon père pour lui donner la date approximative de mon arrivée, puis hier je lui ai télégraphié de Paris.

Neele hocha la tête.

— Un télégramme qui a bien étonné votre frère...

— Je m'en doute. Mais, malgré ça, il a gagné ! Comme toujours. Je suis arrivé trop tard...

— Oui, dit l'inspecteur, pensif, vous êtes arrivé trop tard...

Après un silence, il reprit :

— Au cours de votre visite à Yewtree Lodge, en août dernier, avez-vous rencontré d'autres membres de la famille ?

— Ma belle-mère était là, au thé.

— Vous ne l'aviez jamais vue auparavant ?

— Jamais.

Avec un sourire, Lancelot ajouta :

— Rendons cette justice au paternel, il ne l'avait pas choisie vilaine. Elle devait avoir trente ans de moins que lui, au bas mot !

— Vous m'excuserez de poser la question, dit Neele. Le remariage de votre père vous avait-il déplu, à vous et à votre frère ?

— A moi, certainement pas, et sans doute pas à Percy ! N'oublions pas que nous n'avions guère, lui et moi, que dix et douze ans quand notre mère est morte ! La seule chose qui m'ait vraiment étonné, moi, c'est que le *pater* ne se soit pas remarié plus tôt !

— Épouser une femme beaucoup plus jeune que soi, murmura l'inspecteur, c'est un risque !

— C'est Percy qui vous a dit ça ? demanda Lance. L'insinuation est assez dans sa manière. Faut-il comprendre, inspecteur, que ma belle-mère est soupçonnée d'avoir empoisonné son époux ?

Les traits de Neele se firent impénétrables.

— Il est encore un peu tôt pour avoir sur le crime une idée arrêtée, dit-il en souriant. Puis-je vous demander ce que vous avez l'intention de faire, maintenant ?

— Je crois, répondit Lance, qu'il va falloir que je modifie mes plans. Toute la famille se trouve réunie à Yewtree Lodge ?

— Oui.

— Il me semble donc que je devrais aller là-bas directement.

Tourné vers Pat, il ajouta :

— Pour toi, tu iras à l'hôtel.

Elle protesta.

— Certainement pas. Je t'accompagne.

— Mais non, ma chérie !

— J'y tiens.

— Il vaudrait mieux pas ! Tu pourrais, par exemple, t'installer au Barnes's, qui était autrefois un des hôtels les plus tranquilles de Londres. Je t'y conduirais et j'irais ensuite à Yewtree Lodge...

— Mais pourquoi ne veux-tu pas que j'aille là-bas ?

— En toute sincérité, Pat, parce que je ne sais pas la réception qui m'attend. C'est le paternel qui m'a invité, mais il est mort et je ne sais pas qui commande là-bas. Percy, peut-être, ou Adèle. En tout cas, j'aimerais, avant de t'amener, être fixé sur les sentiments qu'on me porte. De plus...

— De plus ?

— De plus, je ne tiens pas tellement à t'introduire dans une maison où un criminel circule en liberté.

— Tu plaisantes, Lance !

Le visage grave de Lancelot prouvait, au contraire, qu'il parlait très sérieusement.

— Quand il s'agit de toi, Pat, dit-il, je ne prends pas de risques !

CHAPITRE XI

1

Mr Dubois était fort ennuyé. D'un geste rageur, il déchira la lettre d'Adèle Fortescue. Il jeta les morceaux dans la corbeille à papiers et, presque aussitôt, alla les y « repêcher », afin de les réduire en cendres à la flamme d'une allumette. C'était plus sûr.

Il était furieux. Pourquoi les femmes se montraient-elles toujours si imprudentes ? Pour lui, il prenait ses précautions. Si Mrs Fortescue appelait au téléphone, les ordres étaient donnés, on lui répondrait que « Monsieur » était sorti. A trois reprises déjà, elle avait essayé de le joindre à l'appareil. Finalement, elle lui avait écrit. Ce qui était encore plus stupide !

Mr Dubois décida de téléphoner lui-même à Mrs Fortescue.

— C'est vous, Vivian ? s'enquit-elle, dès qu'elle eut reconnu sa voix. Enfin !

— C'est moi, oui. Mais soyez prudente ! D'où me parlez-vous ?

— De la bibliothèque.

— Vous êtes sûre que personne ne nous écoute ?
— Pourquoi m'espionnerait-on ?
— Sait-on jamais ? Il y a encore des policiers chez vous ?
— Ils sont partis, au moins pour le moment. Cette histoire est *épouvantable !*
— C'est bien mon avis. Nous devons être extrêmement prudents...
— Bien sûr, mon chéri !
— Ne m'appelez pas « mon chéri » au téléphone ! C'est dangereux.
— Vous croyez ?
— Je sais ce que je dis. Écoutez-moi bien ! *Ne me téléphonez pas et ne m'écrivez pas !*
— Mais, Vivian, je...
— Dans quelques jours, ça ira mieux, mais, pour l'instant, *nous devons être très, très prudents !*
— Très bien. Je n'insiste pas !
Le ton indiquait qu'elle était terriblement vexée. Il reprit :
— Mes lettres, Adèle, vous les avez brûlées ?
Elle eut, avant de répondre, une légère hésitation.
— Mais... naturellement ! Ne vous avais-je pas dit que j'allais les détruire ?
— Alors, très bien. Ne me téléphonez pas, ne m'écrivez pas ! Je vous ferai signe dès que ce sera possible.

Vivian Dubois remit l'appareil en place. Il se caressa la joue d'un geste machinal, qu'il avait quand les choses n'allaient pas comme il le souhaitait. Pourquoi avait-elle marqué une hésitation avant de répondre à sa question ? Ces lettres, ne les aurait-elle donc pas brûlées ?

Il essaya de se rappeler ce qu'elles contenaient,

au juste. Pas grand-chose, autant qu'il se souvînt. Des banalités, plus fades qu'originales. Mais, interprétée par un policier, la phrase la plus innocente pouvait devenir redoutable pour celui qui l'avait écrite, et cela l'inquiétait. A supposer qu'elle ne l'eût pas déjà fait, il voulait espérer que son amie aurait *maintenant* assez de bon sens pour détruire cette correspondance ridicule. Mais n'était-elle pas déjà tombée entre les mains des enquêteurs? Adèle lui avait bien dit qu'elle conservait ses lettres dans le tiroir secret d'un petit meuble Louis XV, dans sa chambre, au premier étage. Seulement, les tiroirs secrets, la police les découvrait vite. Ce qui pouvait le rassurer un peu, c'est que les policiers s'occupaient surtout pour l'instant, de chercher la provenance du poison, et remettraient sans doute à plus tard les perquisitions. Il lui fallait donc profiter de ce répit.

Vivian Dubois imaginait un plan d'action, qui bientôt se précisait dans son esprit. A l'heure du thé, tout le monde se trouverait réuni dans la bibliothèque ou la salle à manger. Les domestiques seraient à l'office. Quoi de plus simple que de gagner le jardin, à la faveur du soir tombant, la petite porte menant à la terrasse n'étant jamais fermée qu'à la nuit, de s'introduire dans la maison au moment favorable et de grimper rapidement au premier étage?

Entreprise audacieuse que Vivian n'eût certainement pas envisagée si Fortescue avait succombé à une embolie; mais un empoisonnement, ça changeait tout!

— Deux sûretés valent mieux qu'une, conclut Mr Dubois, à mi-voix, je ne veux rien avoir à regretter!

2

Mary Dove descendait lentement le grand escalier. Elle s'arrêta un instant à la fenêtre, par laquelle, la veille, elle avait pu observer l'inspecteur Neele à son arrivée à Yewtree Lodge. Dans le soir qui tombait, elle aperçut une silhouette, disparaissant derrière une haie. Elle se dit que ce devait être Lancelot Fortescue ; elle sourit et se remit en route. Dans le vestibule, elle rencontra Gladys, qui sursauta quand elle la vit.

— J'ai entendu la sonnerie du téléphone, il y a un instant, lui dit Mary. Qui était-ce ?

— C'était un faux numéro, répondit Gladys. Quelqu'un qui appelait la blanchisserie...

Encore qu'elle parût pressée de s'en aller, elle ajouta :

— Avant, il y avait eu un autre coup de téléphone. C'était Mr Dubois qui voulait parler à Madame.

— Parfait.

Mary Dove fit quelques pas, puis, tournant la tête à demi, elle reprit :

— Vous avez servi le thé ?

— Pas encore, mademoiselle. Mais il n'est pas quatre heures et demie...

— Il est cinq heures moins vingt, rectifia Mary. Vous pouvez l'apporter...

Elle passa dans la bibliothèque. Étendue sur le divan, Adèle Fortescue, les yeux fixés sur le feu qui brûlait dans la cheminée, jouait nerveusement avec un mouchoir de dentelle.

— Le thé ? demanda-t-elle.

— On l'apporte tout de suite, répondit Mary Dove.

Dans le foyer, une bûche tomba. Mary prit les pincettes, la remit en place et en ajouta une autre par-dessus, avec un peu de charbon.

Gladys cependant, arrivait à la cuisine. Mrs Crump en train de préparer de la pâte pour faire un gâteau, lui signala, assez rudement, qu'on avait « sonné et resonné » de la bibliothèque et qu'il serait temps de servir le thé.

— C'est bon ! On s'en occupe !

Ayant dit, Gladys entra dans l'office. Allait-elle faire des sandwiches ? Elles s'interrogea, l'espace de quelques secondes. A quoi bon ? *Ils* avaient des biscuits, des gâteaux, du miel et du beurre. Ils n'avaient pas besoin de sandwiches. Elle se sentait d'autant moins disposée à leur en préparer que Mrs Crump était d'une humeur de chien. Tout ça, parce que Mr Crump avait pris son après-midi pour aller se promener. Après tout, il était de repos !

— Votre eau est en train de bouillir tout ce qu'elle sait ! lança, de la cuisine, la voix désagréable de Mrs Crump. Vous le faites, ce thé, oui ou non ?

— J'arrive !

Gladys jeta quelques pincées de thé dans la théière d'argent, courut à la cuisine, versa de l'eau bouillante dans le récipient, le posa sur un plateau, avec le pot contenant de l'eau chaude, et fila vers la bibliothèque. Elle posa son plateau sur une petite table près du divan et retourna à la cuisine, pour y prendre un autre plateau, sur lequel étaient disposés les gâteaux et les biscuits, ainsi que le miel, le beurre et les confitures. Elle passait de nouveau dans le vestibule, quand le bruit fait par la grosse pendule se préparant à sonner la fit sursauter.

Dans la bibliothèque, Mrs Fortescue, d'assez mauvaise humeur, demandait à Mary Dove où étaient « les autres ». Mary répondit qu'elle n'en savait rien.

— Je crois que Miss Fortescue est rentrée, il y a un instant, ajouta-t-elle. Quant à Mrs Percival, je pense qu'elle est dans sa chambre, en train d'écrire des lettres.

— C'est à ça qu'elle passe son temps ! Comme toutes celles de son espèce, cette femme se délecte des malheurs qui arrivent aux gens ! C'est écœurant, absolument écœurant !

Mary se contenta de dire qu'elle allait prévenir Mrs Percival que le thé était prêt. A la porte, elle s'effaça pour laisser entrer Elaine Fortescue, qui, annonçant qu'elle était « frigorifiée », se dirigea directement vers la cheminée.

Dans le vestibule, Mary, apercevant un plateau posé sur un des coffres, s'arrêta et, comme il faisait déjà sombre, donna la lumière. Au même moment, elle eut l'impression qu'elle entendait Jennifer Fortescue marcher dans le couloir du premier étage. Personne, pourtant, n'apparut sur l'escalier. Mary monta.

Percival Fortescue et sa femme occupaient un appartement dans une des ailes de la maison. Mary frappa à la porte. Une voix, celle de Mrs Percival, l'invita à entrer. Mary obéit et elle eut la surprise de constater que Jennifer Fortescue était en train de retirer son manteau. Mary lui annonça que son thé l'attendait.

— Je ne savais pas que vous étiez sortie, ajouta-t-elle.

Mrs Percival, un peu hors d'haleine, répondit qu'elle était allée faire un petit tour dans le jardin.

— Simplement pour prendre l'air, expliqua-t-elle. Mais il faisait trop froid et je serai bien contente de descendre pour me mettre près du feu ! Ce chauffage central fonctionne bien mal. Il faudrait le dire aux jardiniers !

— Je n'y manquerai pas.

Laissant son manteau sur un fauteuil, Jennifer Fortescue sortit de la pièce et descendit l'escalier, devant Mary, revenue dans le vestibule, s'étonna de voir que le plateau était toujours sur le coffre. Elle allait se diriger vers la cuisine, pour faire à Gladys une sévère remarque sur son service, quand la porte de la bibliothèque s'ouvrit. Adèle Fortescue parut sur le seuil.

— Les biscuits ? dit-elle.

Mary s'empara rapidement du plateau et le porta dans la bibliothèque. Elle posa sur de petites tables, près de la cheminée, les assiettes diverses et les pots qui étaient dessus et, le plateau débarrassé à la main, elle se retrouvait dans le vestibule quand la sonnerie de la porte d'entrée retentit. Elle alla ouvrir elle-même. Surtout par curiosité : si c'était l'enfant prodigue, elle tenait à le voir...

— Mr Lancelot Fortescue ? demanda-t-elle.

— Lui-même.

— Vous n'avez pas de bagages ?

— Non. Mon taxi est déjà parti. Je n'ai que cette malette...

— Mrs Fortescue n'est pas avec vous ?

Il eut un sourire ambigu.

— Non. Pour cette fois, j'ai préféré venir seul. Mary hocha la tête.

— Si vous voulez me suivre... On vient justement de servir le thé dans la bibliothèque.

Elle l'accompagna jusqu'à la porte, mais n'entra pas derrière lui. En s'éloignant, elle se disait que Lancelot ne ressemblait guère aux autres Fortescue et que c'était un homme qui ne manquait pas de charme. Ce dont, songea-t-elle, bien d'autres femmes avaient dû s'apercevoir avant elle.

3

— Lance !

Elaine avait couru à la rencontre de Lancelot et lui avait jeté les bras autour du cou, avec une fougue qui le surprit. Il se dégagea doucement.

— Effectivement, c'est moi !

Jennifer Fortescue le regardait avec une curiosité non dissimulée.

— J'ai bien peur, dit-elle, que Val ne rentre que fort tard. Il y a tant de dispositions à prendre ! Car, naturellement, c'est lui qui doit s'occuper de tout ! Les journées que nous vivons, vous ne les imaginez pas !

— Ne croyez pas ça ! répondit-il, très sérieusement.

Il se tourna vers la dame qui était sur le divan. Elle le regardait, tout en grignotant un biscuit.

— Vous ne connaissez pas Adèle, n'est-ce pas ? demanda Jennifer.

— Oh ! si...

Il prit la main qu'elle lui tendait. Comme il la dévisageait, elle baissa les paupières, posa sur la table le biscuit qu'elle tenait de la main gauche, puis, accompagnant son invitation d'un geste gracieux de la main, elle le pria de s'asseoir à côté d'elle.

— Je suis tellement contente de vous voir ! ajouta-t-elle. Un homme de plus dans la maison, nous en avions rudement besoin !

— Je ne demande qu'à me rendre utile !

— Vous savez, ou plutôt vous ne savez pas, que la police est venue ici. Elle s'imagine... C'est terrible, Lance ! Il n'y a pas d'autre mot.

— Je suis au courant. Les policiers m'attendaient à l'aéroport.

— Non ?

— Mais si !

— Et que vous ont-ils dit ?

— Ils m'ont dit ce qui s'était passé.

— Ils se figurent qu'*il* a été victime d'un empoisonnement, non pas accidentel, mais provoqué. Autrement dit, que quelqu'un l'a empoisonné... et leur idée, je le crains, c'est que ce quelqu'un est *l'un de nous !*

— Réaction naturelle chez des gens de police, dit Lancelot avec bonne humeur. Il n'y a pas de quoi s'inquiéter.

Après avoir avalé une gorgée de thé, il reprit :

— Quel thé excellent ! Il y avait longtemps que je me languissais de notre bon vieux thé anglais...

— Mais, dit soudain Adèle, votre femme... n'est pas avec vous ?

— Elle est restée à Londres.

— N'auriez-vous pas mieux fait de l'amener ?

— Rien ne presse, Pat est très bien où elle est.

— Est-ce que ça veut dire que...

Lancelot coupa la parole à Elaine.

— Voilà un gâteau au chocolat qui me fait grande envie ! Il m'en faut un peu...

Tout en s'en coupant une tranche, il demanda :
— La tante Effie vit toujours ?
— Bien sûr ! Elle reste dans son pigeonnier et ne prend pas ses repas avec nous, mais elle va bien ! Seulement, elle est un peu drôle...
Lance sourit.
— Elle l'a toujours été. J'irai la voir tout à l'heure...
— A mon avis, dit Jennifer, étant donné son grand âge, elle devrait être dans une maison de retraite. J'entends quelque part où elle serait bien...
— Plaignons la maison de retraite où sévirait la chère tante Effie ! s'écria Lancelot en riant. Au fait, comment s'appelle le joli brin de fille qui m'a reçu ?
Adèle s'étonna.
— Un joli brin de fille ? Crump n'est donc pas allé ouvrir ?
Presque tout de suite, elle poursuivit :
— C'est vrai, c'est son jour de sortie !... Mais Gladys n'est pas un joli brin de fille...
— La personne de qui je parle, reprit Lance, a les yeux bleus, de très beaux cheveux, séparés par une raie au milieu, la voix douce...
— Il s'agit sans doute de Mary Dove, dit Jennifer.
Elaine ajouta :
— C'est elle qui s'occupe de tout, ici !
— Elle nous est très utile, ajouta Adèle.
— Et, dit Jennifer, elle se tient à sa place.
— Ce qui prouve qu'elle n'est pas sotte, conclut Lance.
Sur quoi, il se coupa une seconde tranche de gâteau au chocolat.

CHAPITRE XII

1

— Alors, mauvaise graine, tu nous reviens? dit Miss Ramsbottom.

Lancelot sourit.

— Comme vous voyez, ma tante !

Elle haussa les épaules.

— Tu as drôlement choisi ton moment ! On a assassiné ton père hier et la maison grouille de policiers, qui fourrent leur nez partout, et jusque dans les boîtes à ordures !

Elle ricana, puis reprit :

— Ta femme est avec toi?

— Non. Je l'ai laissée à Londres.

— Ça prouve que tu n'es pas bête et tu as fort bien fait de ne pas l'amener ici ! On ne sait jamais ce qui peut arriver !

Un silence suivit.

— Vous avez une idée sur ce qui s'est passé ici? dit enfin Lance Fortescue.

Miss Ramsbottom ne répondit pas directement à la question.

— J'ai reçu hier, dit-elle, la visite d'un policier

qui a essayé de me faire parler. Il n'a pas tiré grand-chose de moi, mais je crois que le bonhomme est moins stupide qu'il ne paraît. Je dirai même que j'en suis sûre...

— Ce n'est pas moi qui lui apprendrai quoi que ce soit, déclara Lance. J'ai été absent si longtemps que je suis complètement dans le noir ! Vous dites, ma tante, que le *pater* a été assassiné et la police semble croire que le criminel est quelqu'un qui vit dans la maison. Vous avez une idée là-dessus ?

— L'adultère est une chose, répondit Miss Ramsbottom, l'assassinat en est une autre. Je ne *la* crois pas capable d'être allée jusque-là !

— C'est à Adèle que vous faites allusion ?

— Je n'ai rien dit.

— Mais j'ai compris quand même ! Adèle a un petit ami et son mari devenait gênant. On l'a dépêché vers un monde meilleur. C'est bien ce que vous avez voulu dire ?

— Il n'y a pas de quoi plaisanter !

— Où prenez-vous que je plaisante ?

Il y eut un nouveau silence.

— Pour moi, dit brusquement Miss Ramsbottom, cette fille sait quelque chose !

— Quelle fille ?

— Celle qui renifle tout le temps ! Celle qui aurait dû m'apporter mon thé cet après-midi et qui ne l'a pas fait. Elle aurait été trouver la police que ça ne m'étonnerait pas ! Qui est-ce qui t'a reçu à ton arrivée ?

— Une certaine Mary Dove, je crois. C'est elle qui serait allée trouver la police ?

— *Elle?* s'exclama Miss Ramsbottom. Certainement pas ! Celle dont je veux parler, c'est la petite bonne. Elle a été, toute la journée, si nerveuse que j'ai fini par lui demander si elle n'avait pas mauvaise conscience. Elle m'a répondu : « Je n'ai rien fait ! Je n'aurais jamais pu faire une chose pareille ! »... Je lui ai dit que je n'en doutais pas, mais qu'il était visible, pourtant, que quelque chose la tracassait. Elle s'est mise à pleurnicher, en disant qu'elle ne voulait pas avoir d'ennuis. Ce qui m'a amenée à lui conseiller d'aller dire à la police tout ce qu'elle pouvait savoir, étant donné qu'elle n'avait rien à gagner à se taire. Elle m'a répondu qu'elle ne savait rien et que, d'ailleurs, on ne la croirait jamais...

— Vous ne croyez pas, dit Lance après une hésitation, qu'elle cherchait seulement à se rendre intéressante ?

— Non. Pour moi, elle a peur. Elle a vu ou entendu quelque chose, et elle a sans doute une idée de ce qui a pu se passer... Qu'elle se trompe, c'est évidemment très possible !

— Et vous pensez qu'elle serait allée au commissariat ?

— Je le crois. Elle n'aura pas voulu parler aux policiers dans la maison, par crainte d'éveiller des soupçons...

— Elle aurait surpris le geste du criminel ?

— Pourquoi pas ?

— Évidemment.

Lance se leva.

— C'est possible, reprit-il, mais ça me paraît peu probable. On se croirait en plein roman policier !

— La femme de Percival était infirmière, dit Miss Ramsbottom.

La remarque était si inattendue que Lance regarda la vieille demoiselle d'un air surpris.

— Les infirmières ont l'habitude de manipuler des drogues dangereuses, expliqua-t-elle.

Lance fit la moue.

— On se sert de taxine en médecine?

— Je l'ignore, mais je sais que la taxine est un poison.

2

Mrs Crump posa son rouleau à pâtisserie, leva sa tête rougeaude et dit :

— Elle est partie sans me prévenir, sans rien dire à personne ! Comme une petite saleté qu'elle est ! Vous direz ce que vous voudrez, ce n'est pas bien ! Quand j'ai su que Mr Lancelot était ici, j'ai dit à Crump : « Que ce soit ton jour de sortie, d'accord ! Mais, *moi*, je sais ce que j'ai à faire et il ne sera pas dit que nous aurons un dîner froid, comme tous les jeudis, quand Mr Lance nous revient après des années d'absence ! » Crump fait ce qu'il veut, mais, moi, j'ai de la conscience professionnelle et mon métier, je le fais comme on le fait quand on l'aime !

Miss Dove, à qui ces confidences étaient destinées, approuva d'un lent mouvement de tête et d'un sourire plein de bienveillance.

— Et vous savez ce qu'il m'a répondu, Crump? Il m'a dit : « C'est mon jour de sortie, et je ne vois que ça ! Et zut pour le reste ! » Qu'est-ce que vous vouliez que je fasse? Je l'ai laissé aller et j'ai dit à Gladys que, ce soir, il faudrait qu'elle se débrouille toute seule. Elle m'a dit : « Bien, Mrs Crump ! », seulement, dès que j'ai eu le dos tourné, elle a disparu. Et, elle, ce n'est pas son jour de sortie, aujourd'hui ! Elle, c'est le vendredi ! Comment allons-nous nous en tirer maintenant, c'est ce que je me demande. Encore une chance que Mr Lancelot ne nous ait pas amené sa femme ! Qu'est-ce qu'elle aurait pensé, elle qui a été mariée avec un noble ?

Miss Dove, la voix douce et ferme tout ensemble, rassura Mrs Crump.

— Tout se passera fort bien, croyez-moi ! Le menu sera un peu simple, voilà tout...

Elle donna à la cuisinière quelques suggestions, que Mrs Crump accueillit avec bonne grâce, puis elle dit :

— Et, si Gladys n'est pas rentrée à temps, je servirai à table.

— Soyez tranquille ! Elle ne sera pas là ! Elle doit être à traîner dans les magasins, probablement avec son galant... Albert, qu'il s'appelle... Elle prétend qu'ils doivent se marier au printemps, mais ça m'étonnerait ! Est-ce que ces filles-là se marient ? D'ailleurs, pour ce qu'on gagne à se marier ! Si je vous disais tout ce que Crump m'a fait endurer...

Mrs Crump soupira, puis, d'une voix soudain très posée, elle reprit :

— Et pour le thé, comment allons-nous faire ? Qui est-ce qui va débarrasser et faire la vaisselle ?

— Nous ferons ça ensemble, dit Miss Dove. Je vais tout enlever...

La bibliothèque était plongée dans une demi-obscurité. Miss Dove distingua Adèle Fortescue, allongée sur le divan. Elle lui demanda si elle voulait de la lumière. Adèle ne répondit pas.

Mary fit jouer le commutateur de l'électricité et alla tirer les rideaux. C'est après seulement que, tournant la tête, elle s'aperçut que Mrs Fortescue était renversée sur les coussins, les yeux fixes et la bouche ouverte. Près d'elle, il y avait une tartine de miel dont elle n'avait mangé qu'une bouchée. Sa tasse de thé était encore à demi pleine.

Adèle Fortescue avait dû mourir de façon presque instantanée.

3

— Alors ?

Il y avait dans la voix de l'inspecteur Neele, un peu d'impatience.

— Le thé était drogué, répondit le médecin. Du cyanure de potassium, probablement.

Le policier hocha la tête.

— On dirait que ça vous ennuie ? reprit le médecin.

— Ça ne m'ennuie pas, dit Neele. Seulement, je voyais en elle la criminelle...

— Et il se trouve qu'elle est une victime, elle aussi, ce qui complique tout ?

— Exactement.

Neele réfléchissait. Furieux contre lui-même ! Adèle Fortescue avait été empoisonnée sous son nez ! Et il n'avait rien empêché !

Adèle Fortescue, Jennifer Fortescue, Elaine Fortescue et Lance Fortescue avaient pris le thé ensemble, dans la bibliothèque. Lance avait quitté la pièce le premier, pour aller saluer Miss Ramsbottom. Jennifer avait gagné sa chambre, pour y écrire des lettres. Elaine était partie la dernière. D'après ce qu'elle disait, à ce moment-là, Adèle était encore en parfaite santé et elle se disposait à prendre une dernière tasse de thé.

Sa *dernière* tasse de thé, en effet...

Et puis, quelque vingt minutes plus tard, Miss Dove était venue dans la bibliothèque, pour y découvrir un cadavre !

L'inspecteur jura entre ses dents et, d'un pas rapide, se dirigea vers la cuisine. Mrs Crump était assise sur une chaise, les mains croisées sur son giron, très abattue. Elle leva à peine la tête à l'entrée du policier.

— Cette fille est rentrée ? demanda-t-il.

— Gladys ? Non. J'imagine qu'on ne la reverra pas avant onze heures, minuit...

— C'est bien elle qui a préparé le thé, n'est-ce pas ? Elle aussi qui l'a porté ?

— Oui, mais je suis sûre qu'elle n'a rien fait de mal et qu'on ne peut rien lui reprocher ! Elle a ses défauts, elle est ce qu'elle est, mais elle n'est pas capable de faire une chose pareille...

Neele n'en doutait pas. D'ailleurs, le cyanure n'était pas dans la théière.

— Mais, reprit-il, pourquoi est-elle partie si brusquement ? Vous m'avez bien dit que ce n'était pas son jour de sortie ?

— Non. Elle, c'est le vendredi.

— Est-ce que Crump...

Au seul nom de Crump, tous les instincts belliqueux de Mrs Crump se réveillèrent.

— N'essayez pas de mêler Crump à cette histoire-là ! Il m'a quittée à trois heures... et, maintenant, je ne le regrette pas ! Il est aussi innocent que Mr Percival, qui n'était pas là, lui non plus !

De fait, Percival, qui avait passé la journée à Londres, ne rentra à Yewtree Lodge que bien après la découverte du corps.

— Je voulais simplement, dit Neele de sa voix la plus douce, vous demander si Crump savait que

Gladys avait l'intention de sortir cet après-midi.

Mrs Crump s'adoucit.

— Je ne crois pas. Ce que je sais, c'est qu'elle avait mis ses beaux bas de nylon et qu'elle avait sûrement quelque chose en tête. Elle était si pressée qu'elle n'a même pas préparé des sandwiches pour le thé ! Je lui dirai deux mots quand elle rentrera !

Quand elle rentrera...

Les mots sonnèrent curieusement à l'oreille de Neele. Pour échapper aux pensées désagréables qu'ils lui suggéraient, le policier décida de monter à l'appartement d'Adèle Fortescue. Rien ne retint son attention dans la chambre à coucher, une vaste pièce richement décorée, non plus que dans la salle de bains. Il revint dans le boudoir, qu'il connaissait, pour y être venu la veille, à cause de certain secrétaire Louis XV, duquel il s'était longuement occupé. Il remarqua sur le tapis une petite plaque de boue, encore humide. Il la ramassa et, la glissant dans une enveloppe, la fourra dans sa poche.

Il n'y avait aucune trace de pas sur le tapis. Simplement, cette petite plaque de boue...

4

L'inspecteur Neele était dans la chambre de Gladys Martin. Il était plus de onze heures du soir, Crump était rentré depuis une demi-heure, mais Gladys n'avait toujours pas donné signe de vie.

La pièce était passablement en désordre. Le lit ne devait pas être fait souvent et Gladys n'avait sans doute jamais entendu parler des bienfaits de l'aération.

Neele, qui avait demandé à la vieille Ellen de l'accompagner, examina les affaires de la petite bonne. Les vêtements, tous d'assez mauvaise qualité, ne lui apprirent rien et Ellen ne lui fut d'aucun secours. Elle ne savait pas ce que Gladys pouvait avoir sur elle.

Le policier fit ensuite l'inventaire des « trésors » que Gladys conservait dans un des tiroirs de sa commode. Il y avait là des cartes postales, des coupures de journaux, des patrons de tricot et des prospectus de différentes maisons de modes. Neele procéda à un classement minutieux du tout.

Trois cartes postales, d'abord, retinrent son attention. Elles étaient signées « Bert » et sans doute avaient-elles été envoyées à Gladys par ce « galant » auquel Mrs Crump avait fait allusion. L'écriture semblait d'un illettré. La première disait : « *Meilleures pensées. Tu me manques terriblement. Ton Bert pour la vie.* » La seconde : « *Il y a ici des tas de filles gentiment roulées, mais pas une qui t'arrive à la cheville. On se retrouvera bientôt. N'oublie pas notre rendez-vous... et souviens-toi qu'après nous aurons la belle vie !* » Quant à la troisième, elle disait seulement : « *N'oublie pas ! Je te fais confiance et je t'aime ! B.* »

Neele passa ensuite au classement des coupures de journaux. Il les répartit en trois tas. Il y avait des recettes de beauté et des chroniques de mode, des articles sur la vie publique et privée des grandes vedettes de l'écran, et, enfin, d'autres « papiers », traitant des dernières découvertes de la science moderne : armes secrètes, sérums de vérité, utilisés en U.R.S.S., et drogues miraculeuses, fabriquées dans les laboratoires américains.

L'inspecteur quitta la pièce, un peu découragé. Elle ne lui avait rien appris.

Au pied de l'escalier, il rencontra le sergent Hay, qui, haletant d'avoir couru, lui dit, d'une voix précipitée :

— Elle est retrouvée, monsieur, elle est retrouvée !

— Qui demanda Neele.

— C'est Ellen... qui l'a découverte ! Elle s'est rappelé brusquement que le linge qu'on avait mis à sécher dehors n'avait pas été rentré, elle a pris une torche et elle est sortie... Elle a buté dans le corps, autant dire !... La petite était là, allongée par terre... On l'a étranglée avec un bas et elle l'a encore autour du cou !... Et le pire, monsieur, c'est que *l'assassin lui a accroché dans le nez un cintre...* Oui, monsieur, un cintre comme pour pendre les vêtements !

CHAPITRE XIII

Pour lui tenir compagnie durant le voyage, la vieille dame avait acheté trois journaux. Quand elle les eut lus, elle les posa à côté d'elle, sur la banquette. Les trois manchettes se ressemblaient, toutes trois consacrées à « la triple tragédie de Yewtree Lodge ».

Miss Marple, qui avait quitté St Mary Mead par le premier train, regardait défiler le paysage, le buste droit, les lèvres serrées, l'air préoccupé. A la gare, elle arrêta un taxi qui la conduisit à Yewtree Lodge. Pour les reporters, armés ou non d'un appareil photographique, la maison, vigoureusement défendue par la police, était une forteresse imprenable. Mais Miss Marple était d'apparence si inoffensive et son sourire avait conservé tant de grâce que ce fut sans difficulté que sa voiture franchit les barrages. Pouvait-on supposer qu'elle n'était pas de la famille?

Son coup de sonnette amena Crump à la porte. De l'œil, il examina la visiteuse : une dame, à n'en pas douter. Son manteau de tweed était de coupe vieillotte, mais de bon drap, la plume qui ornait son chapeau de feutre faisait un tantinet démodé, son sac de voyage, qu'elle venait de poser, bien que très usagé était d'un cuir d'excellente qualité, à tout cela Crump reconnut une vraie dame.

Aussi sa voix se fit-elle déférente pour demander à Miss Marple ce qu'elle désirait.

— Je voudrais voir votre maîtresse.

Crump fit entrer Miss Marple, empoigna le sac de voyage, puis, la porte refermée, sollicita des précisions.

— Qui désirez-vous voir, au juste?

— Je l'ignore, avoua Miss Marple. C'est au sujet de Gladys Martin, cette pauvre fille qui a été assassinée...

— En ce cas...

Crump n'acheva pas sa phrase : il venait d'apercevoir Mrs Lance Fortescue, qui sortait de la bibliothèque. Il reprit :

— Voilà Mrs Lance Fortescue, madame.

Puis, tourné vers Pat, il dit :

— C'est à propos de Gladys, madame...

Pat, après une courte hésitation, fit entrer Miss Marple dans la bibliothèque.

— J'ai bien peur de ne pouvoir vous être très utile, déclara-t-elle, après lui avoir offert un siège. Mon mari et moi, nous sommes rentrés d'Afrique il y a quelques jours seulement et, ici, nous sommes un peu étrangers. Mais, si vous le désirez, je puis prévenir ma belle-sœur de votre arrivée.

Miss Marple regardait la jeune femme et la trouvait sympathique, tout en la plaignant un peu, elle ne savait trop pourquoi. Il lui semblait que cette jolie personne, aux yeux comme chargés de tristesse, n'était pas dans le cadre qui lui eût convenu. Elle devait avoir des goûts simples et sans doute n'appréciait-elle pas le décor un peu trop somptueux de Yewtree Lodge.

Miss Marple retira ses gants.

— Vous allez tout de suite comprendre pourquoi je suis venue, dit-elle. Les journaux m'ont appris la mort tragique de Gladys Martin. Cette pauvre fille était de mon village et je la connaissais bien, l'ayant eue à mon service pendant quelque temps. Alors, je me suis dit que je devais venir ici.

— Vous avez fort bien fait. Personne n'a l'air de savoir qui elle est, où se trouve sa famille...

— Forcément, reprit Miss Marple. Elle était seule au monde. Quand elle est entrée chez moi, elle sortait de l'orphelinat et elle avait dix-sept ans. Je lui ai appris à servir et, naturellement, elle m'a quittée après quelques mois. C'est toujours la même chose. Dès qu'elle a eu un semblant d'expérience, elle a fait comme ses devancières elle s'est placée comme serveuse dans un café. Elle avait plus de liberté, j'imagine...

— Je ne l'ai jamais vue. Était-elle jolie ?

— Mon Dieu, non ! Elle avait des taches de son et était sotte, il faut bien le dire. Avec ça, elle aimait les garçons, qui ne la regardaient guère, et les filles se moquaient d'elle.

— Tout cela est assez triste.

— C'est bien mon avis. La vie est cruelle. Mais que peut-on pour ces pauvres créatures ? Elles vont au cinéma, elles rêvent de bonheurs impossibles et elles vont de déception en déception ! Je croirais volontiers que son nouvel emploi n'a pas répondu à l'attente de Gladys et c'est pour cela qu'elle s'était de nouveau placée comme bonne à tout faire. Savez-vous combien de temps elle a servi ici?

Pat eut un geste d'ignorance.

— Je ne sais pas, mais vraisemblablement un mois ou deux...

Après un silence, elle ajouta :

— Pourquoi on l'a tuée, c'est ce que je n'arrive pas à comprendre ! Avait-elle vu ou remarqué quelque chose? Je me le demande.

— Ce qui me tracasse, dit Miss Marple, de sa petite voix fluette, c'est ce cintre !

— Le cintre?

— Oui, ce cintre à vêtements que l'assassin lui a accroché au nez !

Pat hocha la tête.

— Cette macabre mise en scène, reprit Miss Marple, cette brimade posthume, c'est cela qui m'a indignée ! Faire ça à une morte, à la femme qu'on vient de tuer. C'est inimaginable ! C'est révoltant !

— Absolument odieux. Je crois que vous devriez voir l'inspecteur Neele. C'est lui qui mène l'enquête et il est ici en ce moment. Je suis persuadée qu'il vous plaira. Il y a, en lui, un fonds d'humanité très sympathique...

L'inspecteur Neele semblait fatigué, et fort contrarié. Après l'assassinat d'Adèle Fortescue, il avait eu avec l'Assistant Commissioner un entretien qui s'était prolongé fort avant dans la nuit. Avant la mort de Mrs Fortescue, les choses se présentaient de façon assez normale : la femme, aimant ailleurs, avait supprimé un mari gênant.

— Avec ce nouveau crime, avait dit l'Assistant Commissioner, l'affaire prend un tout autre aspect. Il est probable que l'assassin n'a pas toute sa raison, et probable aussi qu'il ne faut pas le chercher ailleurs que dans les familiers de la maison. Il était assis à la table du petit déjeuner quand il a mis de la taxine dans le café de Fortescue, ou dans les aliments, et il était dans la bibliothèque, quand il a drogué la tasse de thé d'Adèle Fortescue. Soupçonnez-vous quelqu'un?

— J'ai pensé à Percival, mais il n'était pas là. Une fois encore, il a un alibi.

— Pourquoi « une fois encore »?

— C'est difficile à expliquer et je me trompe peut-être... En tout cas, il a la chance de ne jamais être là !

— Un peu trop de chance, peut-être?... C'est possible. Mais je ne vois pas comment il aurait pu s'y prendre...

— Il est très intelligent.

— Mais les femmes? Elles sont quand même deux, Elaine Fortescue et Jennifer Fortescue, présentes l'une et l'autre, au petit déjeuner et au thé. Elles sont suspectes, toutes les deux. Elles ne paraissent pas mentalement dérangées, mais il faudrait peut-être voir si elles n'ont pas des antécédents médicaux...

Neele n'avait pas répondu. Depuis, il pensait beaucoup à Elaine et à Jennifer, et plus encore à Mary Dove. Il n'avait aucune raison de croire à sa culpabilité, mais son attitude lui paraissait bizarre. La mort de Rex Fortescue semblait l'avoir amusée, ou presque; mais depuis, à deux ou trois reprises, elle lui donna vaguement l'impression d'avoir peur.

Ce qui l'intriguait et l'inquiétait encore plus, c'est que Gladys lui produisait la même impression. Il se reprochait d'avoir, au début, attribué la nervosité de la pauvre fille à cette crainte irraisonnée qui s'empare des simples quand ils ont affaire à la police. En réalité, Gladys avait peur, *parce qu'elle savait quelque chose*, ayant remarqué un fait, peut-être insignifiant, qui éveilla en elle des soupçons plus ou moins précis. Elle n'osa pas parler... et, maintenant, il n'était malheureusement que trop vrai qu'elle ne parlerait pas.

L'inspecteur examina longuement, sans rien dire, le visage, tout ensemble grave et doux, de la vieille dame qu'il avait fait asseoir en face de lui. Il ne lui fallut qu'un instant pour se rendre compte que Miss Marple pouvait lui être utile. Elle avait tout son temps et, comme toutes les vieilles filles, elle devait savoir faire bavarder les gens. Elle tirerait des domestiques, et même des membres de la famille Fortescue, des renseignements qu'aucun policier ne serait capable d'obtenir. Elle pouvait se révéler une collaboratrice précieuse. Aussi Neele décida-t-il de se montrer aimable.

— C'est très gentil à vous, Miss Marple, dit-il, d'être venue jusqu'ici.

— Je n'ai fait que mon devoir, inspecteur. Cette pauvre fille a vécu sous mon toit. Je l'avais formée, dans une certaine mesure... Malheureusement, elle était sotte...

L'inspecteur approuva d'un mouvement du menton.

— Elle ne savait jamais ce qu'elle devait faire. Je m'explique mal. Je veux dire que, mise en présence d'un événement imprévu, elle ne savait plus que faire.

— Si je comprends bien, elle manquait de jugement ?

— C'est bien cela.

— Vous dites qu'elle était sotte. Qu'entendez-vous par là ?

Miss Marple s'empressa de l'expliquer.

— Elle était d'une crédulité invraisemblable. Elle aurait donné toutes ses économies au premier venu. Naturellement, des économies, elle n'en avait pas. Elle dépensait tout ce qu'elle gagnait en robes impossibles...

— Elle était coureuse ?

— Elle aurait bien voulu se marier et c'est un peu pour cela, je crois, qu'elle a quitté St. Mary Mead, où les garçons ne sont pas nombreux. Un moment, elle a cru que Fred, le livreur de la poissonnerie, lui faisait la cour, mais elle comprit bientôt qu'il débitait les mêmes galanteries à toutes les filles du pays. Elle fut très déçue... Avait-elle fini par trouver un amoureux ?

— On le dirait, répondit Neele. Un certain Albert Evans, dont elle avait, semble-t-il, fait la connaissance dans un camp de vacances. Ils n'étaient, d'ailleurs, pas fiancés. D'après ce qu'elle a raconté à la cuisinière, cet Albert Evans serait un ingénieur des mines.

— Voilà qui me paraît bien improbable ! s'écria Miss Marple. Qu'il lui ait dit être ingénieur, c'est possible. Qu'elle l'ait cru, aucun doute ! Comme je vous l'ai expliqué, elle croyait tout ce qu'on lui disait. Ce jeune homme est impliqué dans l'affaire ?

— Non. Je ne crois pas qu'il soit jamais venu la voir ici. Il lui envoyait de temps en temps une carte postale, généralement d'un port de mer... Pour moi, c'est un mécanicien, travaillant sur un navire de commerce...

— Eh bien ! conclut Miss Marple, je suis contente

qu'elle ait eu son petit roman. Sa vie a été si brève et sa fin si...

Miss Marple n'acheva pas sa phrase. Elle se tut un instant, puis elle reprit :

— Ce qui m'indigne plus que tout le reste, inspecteur, c'est ce cintre ! Cela, c'est odieux !

Neele acquiesça du chef.

— C'est absolument mon opinion.

— C'est peut-être de la présomption de ma part, reprit Miss Marple, mais je me demande s'il ne me serait pas possible de vous aider, très modestement, bien sûr, mais pourtant utilement. Il y a des confidences qu'on fait à une vieille dame et qu'on ne fera pas à un policier. Et je veux que l'assassin soit puni !

— Je le veux moi aussi !

— Il y a un hôtel près de la gare et je crois savoir que, dans la maison même où nous sommes, vit une certaine Miss Ramsbottom, qui s'intéresse aux missions et aux missionnaires.

— C'est exact. Vous pourriez la voir. Peut-être aurez-vous avec elle plus de succès que je n'en ai eu, moi !

Miss Marple sourit.

— Je vous remercie, inspecteur. Je suis contente que vous ne me considériez pas comme une vieille femme aux curiosités malsaines. J'ai lu les journaux. Leurs articles visent plus à être sensationnels qu'à être exacts, et je le regrette. Les faits tout simples ont tellement d'importance !

— Ils ne sont pas tellement compliqués, répliqua Neele. Voulez-vous que je vous les rappelle, tels qu'ils sont ? Il y a d'abord la mort de Mr Fortescue, victime d'un poison, la taxine, extrait des baies et des feuilles de l'if. D'où venait le poison? Nous n'avons là-dessus aucune indication.

— Il y a des ifs dans la propriété?

— Il y en a, mais nous ne pouvons rien ajouter d'autre.

— Et Mrs Fortescue, comment est-elle morte?

— Elle venait de prendre le thé en famille, dans la bibliothèque. La personne qui a quitté la pièce la dernière est sa belle-fille, Miss Elaine Fortescue. Celle-ci déclare qu'au moment où elle se retirait Mrs Fortescue se versait une tasse de thé. Vingt minutes ou une demi-heure plus tard, Miss Dove, qui remplit ici les fonctions de gouvernante, s'est rendue à la bibliothèque pour enlever le plateau du thé. Mrs Fortescue était toujours sur le divan, mais morte. Il restait du thé dans sa tasse et l'analyse a révélé que ce thé contenait du cyanure de potassium.

— Dont l'action est foudroyante, je crois?

— Exactement.

— C'est un produit dont on se sert pour détruire les nids de guêpes, n'est-ce pas?

— Oui. Il y en avait tout un paquet dans la baraque des jardiniers.

— Mrs Fortescue n'avait rien mangé?

— Si ! Des biscuits, du gâteau au chocolat, des tartines de miel et peut-être autre chose encore. Mais n'oubliez pas, Miss Marple, que le poison était dans le thé.

— Je le sais, mais je veux me représenter la scène exactement... Tout cela est assez significatif.

L'inspecteur regarda la vieille dame avec un certain étonnement. Elle avait les joues roses et les yeux brillants.

— Et Gladys? reprit-elle.

— Là encore, les faits semblent assez simples. Gladys a apporté dans la bibliothèque un premier plateau pour le thé. Elle s'est ensuite mise en route avec un second, mais elle l'a posé dans le vestibule. Toute la journée, elle avait eu l'air de penser à autre chose. Elle a laissé son plateau et on ne l'a plus revue. La cuisinière, Mrs Crump, pensait que la petite était sortie sans rien dire à personne, avec l'intention de passer la soirée dehors. Ce qui la confirmait dans cette opinion, c'était que Gladys avait mis ses plus beaux bas de nylon et ses meilleures chaussures. Mrs Crump, pourtant, se trompait. En réalité, Gladys a dû brusquement penser qu'elle avait oublié de rentrer le linge qui devait être sec, et que la nuit tombait. Pendant qu'elle le décrochait l'assassin se sera approché, par derrière, à pas de loup, pour lui jeter un bas autour du cou et serrer...

— Était-ce un étranger ou quelqu'un de la maison ?

— Ce pouvait être l'un ou l'autre. En tout cas, quelqu'un qui avait attendu le moment où Gladys serait seule. Elle m'avait semblé nerveuse, inquiète, quand je l'avais interrogée, telle une coupable, mais je n'avais pas accordé au fait beaucoup d'importance.

— Vous ne pouviez guère ! Les gens ont si souvent l'air coupable quand ils ont affaire à la police !

— C'est très vrai, Miss Marple, mais j'aurais dû m'apercevoir que ce n'était pas ça ! Pour moi, Gladys avait dû remarquer, dans les faits et gestes de quelqu'un, quelque chose de suspect, quelque chose qui réclamait une explication. Pas plus, car *si elle avait eu une certitude*, elle aurait parlé. Malheureusement, son attitude aura donné l'éveil à la personne intéressée et celle-ci a compris que Gladys représentait pour elle un danger... alors elle l'étrangla !

— Et on lui a accroché au nez un cintre à vêtements !

— Une plaisanterie macabre, qui ne s'imposait pas.

Miss Marple secoua la tête.

— *Qui ne s'imposait pas*, ce n'est pas sûr ! Je penserais plutôt le contraire. Comme ça, tout y est !

Neele fronça le sourcil et se passa la main sur la joue.

— Je ne vous suis pas, Miss Marple. Que voulez-vous dire par là ?

Miss Marple s'échauffait.

— Je veux dire, répondit-elle, que, si l'on considère le tableau dans son ensemble, il se tient ! Les faits sont les faits. On est bien obligé de les prendre comme ils sont !

— J'avoue que je ne comprends pas.

— Je vais vous expliquer. Pour commencer, il y a la mort de Mr Fortescue, *Rex* Fortescue, tué dans son bureau, à Londres. Ensuite, il y a celle de Mrs Fortescue, qui meurt dans sa bibliothèque, alors qu'elle prenait le thé. On lui avait servi des biscuits et *du miel*. Enfin, il y a cette pauvre Gladys, trouvée morte, un cintre accroché à son nez. Un détail *voulu*. Vous ne voyez pas où je veux en venir ?

Miss Marple n'attendit pas la réponse de l'inspecteur pour poursuivre.

— Vous devez, dit-elle, avoir trente-cinq ou trente-six ans. Quand vous étiez petit, les *nursery rhymes* ne se chantaient déjà plus guère. Mais, si vous aviez été élevé, comme je l'ai été, avec les *Contes de ma Mère l'Oye*, vous auriez déjà compris...

Malgré lui, Neele sourit. Miss Marple s'excusa.

— Pardonnez-moi, inspecteur ! Je ne veux rien vous dire de désagréable... et, d'ailleurs, je ne suis sûre de rien et il se peut très bien que mon idée soit ridicule. Mais on ne sait jamais... *Avez-vous pensé aux merles?*

CHAPITRE XIV

1

Pendant une dizaine de secondes, l'inspecteur Neele considéra Miss Marple avec ahurissement, mais aussi avec inquiétude : il n'était pas loin de se demander si la vieille demoiselle possédait tout son bon sens.

— Aux merles ? répéta-t-il.

— Oui, aux merles.

Et, d'une petite voix grêle, Miss Marple se mit à chantonner les vers d'une chanson enfantine.

Une chanson de quatre sous, une poignée de seigle
Et vingt-quatre merles dans un pâté en croûte !
Le pâté ouvert, les oiseaux se mirent à chanter.
Un gentil plat à servir à un roi !
Le roi était dans sa trésorerie, à compter son argent,
La reine chez elle, à se régaler de pain et de miel,
Et la servante pendait le linge dans le jardin
Quand un petit oiseau est venu qui lui a becqueté le nez !

Neele avait écouté avec une stupeur croissante.

— Vous voyez ! s'écria Miss Marple. Tout y est !

Il y a *Rex*, le roi, il y a la reine et son miel... Sans la petite bonne, le tableau restait incomplet...

— Il s'agirait donc de crimes commis par un fou ?

— Gardons-nous de conclure trop vite ! dit Miss Marple. Ce que je prétends, c'est que tout cela est assez bizarre et qu'il est normal de songer aux merles. *Il ne peut pas ne pas y avoir de merles dans l'affaire !*

L'arrivée du sergent Hay, visiblement désireux de se trouver seul avec son chef, empêcha Neele de discuter le point. Il se leva.

— Je vous remercie, Miss Marple, et je tiendrai compte de ce que vous m'avez dit. Pour vous, peut-être pourriez-vous aller faire un tour dans la chambre de Gladys. Le sergent vous conduira. Il vous rejoint dans un instant...

Miss Marple sortie. Neele demanda au sergent ce qui l'amenait.

— Ceci, monsieur.

Hay posa sur la table un objet qu'il avait apporté, enveloppé dans un mouchoir d'une propreté douteuse : c'était une boîte de confiture d'orange à peine entamée.

— Où avez-vous trouvé ça ? demanda l'inspecteur.

— Dans le verger.

Neele resta un long moment sans rien dire. Son visage, impassible, n'exprimait rien, mais jamais son cerveau n'avait travaillé plus activement. Il imaginait toute une série de faits, dont aucun n'était prouvé, mais qui, tous, étaient plausibles et pouvaient correspondre à la réalité. Deux mains ouvraient la boîte de fer-blanc, on prélevait à l'intérieur une cuillerée de confiture, à laquelle on mélangeait une certaine dose de taxine, on remettait le tout dans la boîte, on égalisait bien la surface et, la boîte refermée, il n'y avait plus qu'à attendre les événements...

Neele mit fin à ses réflexions pour poser au sergent une nouvelle question.

— La confiture était servie à table dans la boîte du commerce ?

— Oui, monsieur. Une habitude prise pendant la guerre et qu'on n'a pas cru devoir abandonner.

Neele ne put s'empêcher de murmurer que, décidément, l'assassin avait la partie belle.

— Et d'autant plus, monsieur, ajouta Hay, que Mr Fortescue était le seul à prendre de la confiture au petit déjeuner. Mr Percival en prenait aussi, mais ce jour-là, il était absent...

L'inspecteur hocha la tête.

— La première chose à faire, dit-il, c'est d'envoyer cela au laboratoire. Si l'analyse révèle des traces de taxine, nous pourrons risquer une hypothèse...

— Il y a peut-être aussi des empreintes digitales ?

— Celles qui nous intéresseraient n'y sont vraisemblablement pas. On trouvera là-dessus celles de Gladys, de Crump, de Fortescue, et peut-être bien aussi celles de l'épicier, mais l'assassin se sera arrangé pour n'y pas laisser les siennes. Cette confiture, où a-t-elle été achetée ?

Le sergent Hay avait prévu toutes les curiosités de son chef.

— A Londres. On la livrait par six boîtes à la fois. Quand celle qui est entamée tire à sa fin, on en descend une autre à l'office.

— Ce qui permet de supposer, dit Neele, qu'on

peut avoir mis de la taxine dans la confiture bien avant que la boîte ne vînt sur la table du petit déjeuner.

Le point était d'importance. S'il avait été possible de mélanger le poison à la confiture quelque temps à l'avance, il y avait tout lieu de croire que *l'assassin ne se trouvait pas parmi les personnes qui s'étaient assises à la table du petit déjeuner*, le jour où Fortescue devait mourir. Cette remarque ouvrait le champ à de nouvelles hypothèses, qui valaient d'être étudiées de près.

Neele se promit d'y songer. Il entendait ne rien négliger.

2

L'inspecteur trouva Mary Dove dans une des chambres à coucher du premier étage. Elle surveillait Ellen, qui était en train de défaire un lit, dont les draps, d'une éclatante blancheur, paraissaient n'avoir nullement besoin d'être changés.

Neele, un peu étonné, demanda si l'on attendait quelqu'un. Ellen, de qui le visage restait obstinément revêche, n'eut même pas l'air d'avoir entendu. Mary Dove, au contraire, tourna la tête vers le policier et lui sourit gentiment avant de répondre.

— Ce serait plutôt le contraire, dit-elle. Nous attendions quelqu'un, mais il y a contre-ordre. Cette chambre, nous l'avions préparée pour Mr Gerald Wright...

— Qui est Mr Gerald Wright ?

— Un ami de Miss Elaine Fortescue.

Le ton, très neutre, très impersonnel, était celui d'un chef de gare renseignant un voyageur sur l'heure de son train.

— Quand l'attendiez-vous ? reprit Neele.

— Il a dû arriver au Golf Hotel le lendemain du jour où Mr Fortescue est mort.

— *Le lendemain?*

— C'est ce que nous a dit Miss Elaine.

La phrase n'insinuait rien. Mary Dove poursuivit :

— Elle m'avait dit qu'il séjournerait à Yewtree Lodge. Je lui ai donc fait préparer une chambre. Seulement, depuis, il y a eu les deux... tragédies que vous savez et on a sans doute pensé qu'il valait mieux qu'il restât à l'hôtel.

— Au Golf?

— Oui.

La vieille Ellen sortit de la pièce, emportant les draps qu'elle venait de plier. Miss Dove laissa passer quelques secondes.

— Vous vouliez me demander quelque chose? dit-elle ensuite.

— Oui, répondit Neele d'un ton bonhomme. Au point où j'en suis maintenant, il faut que j'établisse les heures avec exactitude. Les membres de la famille ne les fixent que de façon très approximative, ce qui est d'ailleurs assez compréhensible. Vous, au contraire, vous me les avez toujours données de façon très précise.

— Ce qui est également très compréhensible?

L'inspecteur sourit.

— Mon Dieu, il est bien certain qu'on peut vous féliciter d'avoir, dans des circonstances... pénibles, gardé la tête claire et heureusement conduit la maison. Comment diable y êtes-vous arrivée?

Neele avait découvert le point faible de Mary Dove : elle se flattait de savoir commander et « d'obtenir des résultats ».

— J'ai eu du mal, admit-elle. Les Crump voulaient partir.

— Nous ne leur aurions pas permis.

— Je m'en doute. Mais je leur ai surtout fait remarquer que Mr Percival Fortescue saurait reconnaître... généreusement le service qu'ils lui rendaient en restant.

— Ellen n'a pas parlé de partir ?

— Non. Elle n'y a pas songé une minute.

— Elle a du cran.

— Et une atmosphère de drame ne lui déplaît pas ! Elle n'est pas la seule, d'ailleurs. Mrs Percival est comme elle...

— Ces meurtres l'auraient... amusée ?

— Non, bien sûr ! Ce serait trop dire... Mais ils ne l'ont pas abattue !

— Et vous, Miss Dove, vous ont-ils... affectée ?

Elle haussa les épaules.

— J'ai vécu des journées plus agréables que celles que je viens de passer !

Neele n'insista pas.

— Revenons-en à nos heures ! dit-il. La dernière fois que vous avez vu Gladys Martin, c'était dans le vestibule, avant le thé, et il était cinq heures moins vingt.

— Oui. Je lui ai dit de servir le thé dans la bibliothèque.

— A ce moment-là, vous, d'où veniez-vous ?

— Du premier étage. Il me semblait avoir, quelques minutes plus tôt, entendu qu'on téléphonait.

— C'est Gladys qui était allée à l'appareil ?

— Oui. Il s'agissait de quelqu'un qui avait été mal dirigé et qui croyait téléphoner à la Baydon Heath Laundry.

— Et c'est la dernière fois que vous avez vu Gladys ?

— Elle a porté le thé dans la bibliothèque dix minutes plus tard, ou à peu près.

— Miss Elaine Fortescue est arrivée peu après ?

— Trois ou quatre minutes après. Je suis alors montée au premier étage, pour dire à Mrs Percival que le thé était servi.

— Vous aviez l'habitude de la prévenir ?

— Non. D'ordinaire, chacun allait prendre le thé quand ça lui faisait plaisir. Seulement, Mrs Fortescue m'avait demandé où étaient les autres... J'avais cru entendre venir Mrs Percival, mais je m'étais trompée...

— Une seconde ! dit Neele. Vous voulez dire qu'il vous avait semblé entendre marcher au premier étage ?

— Oui, juste en haut de l'escalier. Je n'ai vu descendre personne. Alors, je suis montée. Mrs Percival était dans sa chambre. Elle venait de rentrer.

— Et il était quelle heure ?

— Pas loin de cinq heures, il me semble.

— A quelle heure Mr Lancelot Fortescue est-il arrivé ?

— Juste comme je venais de redescendre. Je croyais qu'il était arrivé plus tôt, mais...

— Qu'est-ce qui vous fait croire ça ?

— Il me semble l'avoir aperçu, de la fenêtre du palier...

— Aperçu où ? Dans le jardin ?

— Oui. J'avais vaguement entrevu quelqu'un, du côté des ifs, et j'avais cru que c'était lui.

— Cela, au moment où vous redescendiez, après avoir annoncé à Mrs Percival que le thé était servi ?

— Non. C'était avant ça... Quand je suis redescendue pour la première fois...

L'inspecteur fronça le sourcil.

— Vous en êtes bien sûre?

— Absolument sûre. C'est même pour cela que j'ai été très surprise de le voir, quand je suis allée ouvrir à la porte, en réponse à son coup de sonnette.

Neele réfléchit quelques secondes, puis, d'une voix très posée, il dit :

— La personne que vous avez aperçue dans le jardin ne pouvait être Lancelot Fortescue. Son train, qui devait entrer en gare à quatre heures vingt-huit, avait neuf minutes de retard. Il est arrivé à Baydon Heath à quatre heures trente-sept. Il lui a fallu quelques minutes pour trouver un taxi — le train est toujours bondé — et il n'était pas loin de cinq heures moins le quart quand il a quitté la gare. A ce moment-là, il y avait déjà cinq minutes que vous aviez vu l'homme qui était dans le jardin. Lancelot n'a pas pu être ici avant cinq heures moins cinq, au plus tôt. Ce n'est certainement pas lui que vous avez aperçu de la fenêtre !

— Je suis pourtant sûre d'avoir vu quelqu'un !

— Oui, mais comme le jour baissait, vous n'avez pu distinguer ses traits.

— Non. J'ai vu une silhouette, longue et mince, c'est tout ce que je peux dire. Nous attendions Lancelot Fortescue. J'ai cru que c'était lui...

— Cet homme, vers quel côté se dirigeait-il?

— Il marchait derrière les ifs, allant vers la droite de la maison.

— Il y a une petite porte par là. Était-elle fermée?

— On ne la ferme qu'à la nuit tombée.

— Donc, n'importe qui peut fort bien entrer par là sans être vu?

Mary Dove réfléchit avant de répondre.

— Oui, dit-elle enfin.

Très vite, elle ajouta :

— Vous ne voudriez pas dire que la personne que j'ai entendu marcher au premier étage, un peu plus tard, aurait pu être...

— Qui sait? dit l'inspecteur.

— Mais qui serait-ce?

— Il nous reste à le trouver. Je vous remercie, Miss Dove.

Mary Dove se retirait quand Neele la rappela.

— Au fait, Miss Dove, lui dit-il, *des merles*, ça ne vous rappellerait rien, par hasard?

Miss Dove s'était immobilisée, visiblement très surprise.

— Des merles? répéta-t-elle.

— Oui, des merles.

Conscient de la stupidité de la question, il évitait de regarder la jeune femme.

— Est-ce à la sotte histoire de l'été dernier que vous faites allusion? demanda-t-elle.

Il répondit oui, à tout hasard, ajoutant :

— Je la connais mal et si vous consentiez à me dire ce qu'elle fut exactement...

Revenue de son étonnement, Miss Dove avait recouvré toute sa maîtrise de soi habituelle.

— A mon avis, dit-elle, il ne s'agissait que d'une plaisanterie parfaitement idiote. Un matin, en entrant dans son cabinet de travail, ici, Mr Fortescue a trouvé quatre merles morts, alignés sur son bureau. On était en été, la fenêtre était ouverte et on a pensé que le responsable de cette ridicule mise en scène était le fils d'un des jardiniers. Il a nié et on n'a rien pu prouver mais, il s'agissait bel et bien de merles qui avaient été abattus à coups de fusil par le père du jeune homme...

— Et quelqu'un était venu les poser sur le bureau de Mr Fortescue ?

— Exactement.

— Pourquoi ?

— Je n'en ai pas la moindre idée.

— Cette... plaisanterie, comment Mr Fortescue l'a-t-il prise ?

— Elle ne lui a pas fait plaisir.

— Mais lui a-t-elle paru inquiétante ?

— Il n'a pas parlé de cela.

L'inspecteur arrêta là son questionnaire et rendit, définitivement cette fois, sa liberté à Miss Dove. Il se sentait de méchante humeur et, contre toute logique, c'était à Miss Marple qu'il en voulait. Elle lui avait déclaré qu'il devait y avoir des merles dans l'affaire et l'événement lui avait donné raison. Ils n'étaient pas vingt-quatre, mais quatre suffisaient pour compliquer encore une enquête qui n'était déjà que trop difficile. Ils donnaient à penser que le criminel avait l'esprit dérangé, de sorte qu'il fallait maintenant expliquer « logiquement » ce qui avait pu se passer dans la cervelle d'un fou !

CHAPITRE XV

1

— Je regrette, Miss Fortescue, dit Neele, de vous déranger encore, mais j'aimerais préciser avec vous un certain nombre de points. Autant que nous sachions, vous êtes, l'assassin excepté, la dernière personne à avoir vu Mrs Fortescue vivante. Quand vous avez quitté la bibliothèque, il était cinq heures vingt. Nous sommes d'accord ?

Elaine se tenait sur la défensive. Elle rectifia :

— Il était *autour* de cinq heures vingt. Je ne vis pas l'œil fixé sur les pendules...

L'inspecteur sourit.

— Naturellement. Vous étiez restée seule avec Mrs Fortescue pendant quelques instants. De quoi avez-vous parlé ?

— Ça présente un intérêt ?

— Sait-on jamais ? En tout cas, je ne pense pas que cela puisse vous gêner de me le dire.

— Certainement pas.

Après une très légère hésitation, Elaine ajouta :

— Nous avons parlé, en fait, d'une question qui me préoccupait...

Neele hocha la tête.

— Il s'agissait, reprit la jeune fille, d'un de mes amis, tout récemment arrivé à Baydon Heath, et je demandais à Adèle si elle verrait quelque objection à ce qu'il vînt résider à Yewtree Lodge.

— Comment s'appelle cet ami ?

— Gerald Wright. Il est actuellement au Golf Hotel.

L'inspecteur prit son air le plus bon enfant pour demander si la présence de Mr Gerald Wright dans le voisinage devait être considérée comme laissant prévoir des fiançailles prochaines. Elaine rougit.

— Nous ne sommes pas fiancés et il n'y a encore rien d'officiel, mais nous avons l'intention de nous marier...

— Vous avez bien raison, dit Neele avec bonne humeur. Mr Wright est au Golf Hotel depuis longtemps ?

— Je lui ai télégraphié pour lui annoncer la mort de papa...

— Et il est venu tout de suite ? C'est très bien de sa part...

Après un silence, il reprit :

— Et, quand vous lui avez parlé de l'installation de Mr Wright à Yewtree Lodge, que vous a répondu Mrs Fortescue ?

— Que cela lui était parfaitement égal et que je pouvais inviter qui bon me semblait.

— Elle a donc accueilli votre requête très gentiment ?

— Ce n'est pas tout à fait ça ! Elle m'a dit...

La jeune fille laissait sa phrase en suspens.

— Elle vous a dit ?

De nouveau, Elaine rougit.

— Elle m'a dit que j'aurais pu avoir des ambitions

plus hautes... Avec elle, je devais m'attendre à quelque chose comme ça...

L'inspecteur haussa les épaules.

— Dans ces affaires de mariage, dit-il d'un ton bonhomme, les parents ne voient pas toujours comme les intéressés !

— C'est bien vrai ! Gerald, d'ailleurs, n'est généralement pas apprécié à sa valeur. C'est un intellectuel, il n'est pas conformiste et ses idées avancées ne plaisent pas à tout le monde.

— C'est pour cela qu'il ne s'entendait pas avec votre père ?

Elle acquiesça avec énergie.

— Papa était prévenu contre lui et très injuste à son égard. Il l'avait profondément blessé et l'attitude de mon père chagrina Gerald à tel point qu'il rompit toutes relations avec moi et me laissa sans nouvelles pendant des semaines.

Neele se demanda si la mort de Fortescue, qui avait pour la jeune fille d'heureuses conséquences financières, n'avait pas déterminé Mr Gerald Wright à réviser sa politique sentimentale, mais il garda pour lui cette réflexion et, tout haut, dit seulement :

— Et dans votre conversation avec Mrs Fortescue, il n'a pas été question d'autre chose ?

— Autant qu'il me semble, non.

— Vous avez quitté Mrs Fortescue vers cinq heures vingt-cinq. A six heures moins cinq, on l'a trouvée morte. Pendant cette demi-heure-là, qu'avez-vous fait ?

— Je suis allée faire un tour.

— Au Golf Hotel ?

— Oui... mais Gerald était sorti.

Neele remercia Elaine, lui dit qu'il n'avait plus

de questions à lui poser, puis, comme elle allait se retirer, il lui demanda, comme précédemment à Miss Dove, si des merles ne lui rappelaient rien.

Comme l'avait fait Miss Dove, elle le regarda avec étonnement, puis elle dit :

— Des merles? Vous parlez de ceux qui étaient dans le pâté?

Dans le pâté? « *C'était fatal !* », songea Neele.

— Oui, dit-il. C'était à quelle époque?

— Il y a trois ou quatre mois. Et puis, il y a eu aussi ceux qu'on avait posés sur le bureau de papa. Il était furieux... On n'a jamais découvert qui les avait mis là !

— Pourquoi était-il furieux?

— Parce que c'était vraiment une plaisanterie idiote. Ce n'est pas votre avis?

Neele en convint.

— Une question encore, Miss Fortescue. Savez-vous si votre belle-mère avait fait son testament?

— Je n'en sais rien, mais c'est probable. Tout le monde le fait...

— On devrait le faire, mais on ne le fait pas toujours. Avez-vous fait le vôtre?

— Non, bien sûr !... Seulement, qu'est-ce que j'avais à laisser? Aujourd'hui, évidemment...

Elle n'acheva pas, mais il vit à son regard qu'elle se rendait compte que sa situation personnelle n'était plus la même.

— Mais oui, dit-il, cinquante mille livres sterling, Miss Fortescue, ça change bien des choses !

2

Elaine Fortescue sortie, l'inspecteur Neele s'absorba durant quelques instants dans ses pensées. Les sujets de réflexion ne lui manquaient pas.

D'abord, les déclarations de Mary Dove. Le fait qu'elle avait aperçu un homme dans le jardin, vers quatre heures trente-cinq, ouvrait le champ à de nouvelles possibilités. Cela, bien entendu, si elle disait la vérité. En principe, Neele mettait tous les témoignages en doute. Mais il avait beau examiner la question sous tous ses aspects, il ne voyait pas pourquoi, en la circonstance, Mary Dove lui aurait menti. Il inclinait à croire qu'elle avait réellement vu un homme dans le jardin. Qu'elle l'eût pris pour Lancelot Fortescue, c'était normal. Que ce ne pût être lui, la chose ne se discutait pas. Restait à savoir ce que ce personnage, à peu près de la taille de Lancelot Fortescue, faisait là et pourquoi il avait disparu derrière les ifs ?

Mary Dove, d'autre part, avait entendu quelqu'un marcher au premier étage. N'était-ce pas ce quelqu'un qui laissa dans la chambre d'Adèle Fortescue cette petite plaque de boue que Neele avait ramassée sur le plancher ? Le rapprochement s'imposait. L'inspecteur songea au secrétaire de Mrs Fortescue, à ce petit meuble ancien qui dissimulait si mal son tiroir secret. Il avait trouvé la cachette tout de suite. Elle contenait trois lettres d'amour, adressées à Adèle par Vivian Dubois. Trois lettres prudentes, qui pouvaient à la rigueur passer pour celles d'un amoureux platonique. Neele les avaient transmises au Yard, parce qu'il lui semblait, à ce moment-là, fort possible que Mrs Fortescue eût empoisonné son époux, avec la complicité de Vivian Dubois. Le texte même des lettres ne permettait pas de supposer que Dubois eût poussé sa maîtresse au meurtre. Peut-être l'y avait-il incitée verbalement, mais sûrement rien écrit qui pût le compromettre. Sans doute, maintenant que Mrs Fortescue était morte, il devenait difficile de la croire coupable; mais l'hypothèse ne devait pas être rejetée définitivement. On pouvait se demander si Adèle ne voulait pas reconquérir sa liberté pour épouser Vivian, tandis que celui-ci songeait plutôt à la grosse fortune qui lui reviendrait à la mort d'Adèle, qu'à la jeune femme elle-même ? La santé de Rex donnant depuis longtemps des inquiétudes à son entourage, les deux amants pensaient que le décès serait attribué à une cause naturelle. Mais les événements ayant tourné autrement, ils se trouvèrent dans une situation dangereuse, devant laquelle Adèle affolait son ami par des coups de téléphone pouvant être entendus par quelqu'un de la maison, ce qui prouvait qu'elle perdait la tête. Comment Vivian réagit-il, que lui dit-il ?

Neele se posait la question, se réservant d'y répondre plus tard. Il lui faudrait, auparavant, aller chercher quelques renseignements au Golf Hotel. Entre quatre heures un quart et six heures, Dubois était-il à l'hôtel ? C'était le premier point à tirer au clair. L'homme étant à peu près de la taille de Lance Fortescue, pouvait s'être introduit dans le jardin par la petite porte, s'être glissé dans la maison, avoir gagné la chambre d'Adèle Fortescue pour y chercher des lettres qu'il jugeait compromettantes, mais qu'il ne trouva pas, Neele ayant inspecté le secrétaire avant lui. Déçu, il avait attendu que le chemin fût libre et s'était rendu dans la bibliothèque, sachant y rencontrer Adèle Fortescue seule...

L'hypothèse paraissait séduisante. Neele se promit de ne pas la perdre de vue.

Ayant interrogé Mary Dove et Elaine Fortescue, il lui fallait maintenant poser quelques questions à Mrs Percival Fortescue.

CHAPITRE XVI

1

Il la trouva dans sa chambre, au premier étage, occupée à faire de la correspondance. Elle se leva pour l'accueillir. Elle semblait assez nerveuse.

Neele la rassura sur ses intentions. Il désirait seulement préciser avec elle certains points de détail. Tout en s'asseyant sur la chaise qu'elle lui avait offerte, à côté du fauteuil dans lequel elle s'était elle-même assise, l'inspecteur examinait la jeune femme. Elle lui parut assez banale, et sans doute pas très heureuse. Elle avait dû être une bonne infirmière, avant son riche mariage, qui lui avait apporté moins de satisfactions qu'elle en espérait. Oisive, elle s'ennuyait, c'était visible.

— Je suis navré de vous importuner encore, dit-il d'un ton aimable, je me rends compte que mes questions sont fatigantes, mais, dans une enquête de ce genre, les heures revêtent une telle importance qu'il faut me pardonner mes curiosités. Si j'ai bien compris, vous êtes descendue pour le thé assez tard ? Miss Dove est venue vous prévenir, je crois ?

— C'est exact. J'avais complètement oublié l'heure. J'étais en train d'écrire des lettres...

— Je pensais que vous étiez allée vous promener ?

— Miss Dove vous a dit ça?... Au fait, c'est vrai ! Vous avez raison. J'avais fait un peu de courrier... et il faisait si chaud ici que, pour dissiper un commencement de migraine, j'étais allée faire un tour dans le jardin.

— Vous n'y avez rencontré personne?

Elle le regarda, étonnée.

— Que voulez-vous dire?

— Je vous demande simplement si, au cours de votre promenade, vous avez rencontré quelqu'un.

— Je crois avoir aperçu un jardinier, très loin... C'est tout.

— Ensuite, vous êtes rentrée et vous étiez en train d'enlever votre manteau de pluie quand Miss Dove est venue vous chercher?

— C'est cela. Je suis descendue tout de suite.

— Qui y avait-il dans la bibliothèque?

— Adèle et Elaine. Lance est arrivé peu après. C'est mon beau-frère... Celui qui rentre du Kenya.

— Vous avez pris le thé?

— Nous avons pris le thé. Puis, Lance est monté voir la tante Effie et j'ai regagné ma chambre, pour finir mes lettres. J'ai laissé Elaine avec Adèle.

Il acquiesça d'un lent mouvement de tête.

— Miss Fortescue semble être restée, après votre départ, cinq ou dix minutes avec Mrs Fortescue. Votre mari n'était pas encore rentré?

— Oh ! non. Percival n'est revenu que vers six heures et demie, sept heures. Il avait été retenu à Londres.

— Il est rentré par le train?

— Oui. Il a pris un taxi à la gare.

— Était-il exceptionnel qu'il revînt par le train ?

— Ça lui arrive de temps à autre. Je crois qu'il avait eu affaire dans différents quartiers de Londres où il est assez difficile de ranger sa voiture et qu'il a pris directement le train pour revenir de Cannon Street, où il se trouvait.

— Votre mari m'a dit qu'il ignorait si Mrs Fortescue avait ou non fait un testament. Vous ne pouvez pas me renseigner là-dessus ?

— Mais si ! s'écria Jennifer, à la grande surprise du policier. Adèle avait fait un testament. Elle me l'a dit elle-même.

— Quand l'avait-elle fait ?

— Il n'y a pas tellement longtemps. Un mois, peut-être...

— Vous m'apprenez là une chose fort intéressante.

Mrs Percival souriait, ravie.

— Personne n'était au courant, reprit-elle, et c'est tout à fait par hasard qu'Adèle a été amenée à me révéler l'existence de son testament. Je venais de faire quelques achats chez mon papetier, dans High Street, quand je l'ai vue, qui sortait de l'étude d'Ansell et Worrall, les avoués. Je lui ai demandé ce qu'elle était allée faire chez eux et, après m'avoir taquinée, elle m'a dit qu'elle venait de leur remettre son testament. Comme elle était en parfaite santé, la chose m'a étonnée et je ne le lui ai pas caché. Elle m'a répondu que cela n'avait jamais fait mourir personne et que tout le monde devrait faire son testament, mais qu'elle s'était gardée de recourir pour cela à Mr Billingby, l'avoué de la famille. « Mon testament, m'expliqua-t-elle, ne regarde que moi, je l'ai fait comme j'entendais le faire, et sans alerter le vieux Billingby, qui n'a jamais su tenir sa langue. » Je lui dis que, pour ma part, je ne soufflerais mot de tout cela à personne. Elle m'assura que cela n'avait aucune importance, attendu que je ne savais pas ce qu'il contenait. Malgré cela, je n'en ai jamais parlé, pas même à Percy. Les femmes doivent se tenir les coudes. Ce n'est pas votre avis, inspecteur ?

— Aucun doute, répondit Neele.

— Notez, poursuivit Jennifer, que je n'aimais pas particulièrement Adèle. Je l'ai toujours tenue pour une femme qui ne reculerait devant rien pour obtenir ce dont elle avait envie. Mais elle est morte et je ne voudrais pas dire du mal d'elle...

Elle soupira.

— Toute cette aventure est épouvantable !... Au fait, qui est donc la vieille dame qui nous est arrivée ce matin ?

— C'est une certaine Miss Marple, qui très aimablement est venue nous dire ce qu'elle sait de la pauvre Gladys Martin. Il paraît qu'elle l'a eue à son service autrefois.

— Vraiment ? C'est très intéressant !

— N'est-ce pas ?... Un dernier mot, madame ! Savez-vous quelque chose des merles ?

La question sembla surprendre Jennifer : son sac à main tomba sur le plancher. Elle le ramassa et dit, d'une voix assez précipitée :

— Des merles ? Quels merles, inspecteurs ?

Neele eut un sourire.

— Les merles, en général. Vivants, morts ou comment dire ?... symboliques !

Jennifer prit un petit ton sec pour déclarer qu'elle ne voyait pas à quoi l'inspecteur faisait allusion.

— Donc, reprit-il, vous ne savez rien des merles ?

— A moins, dit-elle, que vous ne vouliez parler de ceux qui se trouvaient dans le pâté en croûte ? Une plaisanterie ridicule.

— Il y eut aussi, je crois, ceux qu'on plaça sur le bureau de Mr Fortescue ?

— Autre plaisanterie, non moins grotesque. Je ne sais qui vous a parlé de ça. Ce que je sais, c'est que mon beau-père a peu goûté ces inepties !

— « Peu goûté ? » N'est-ce pas trop peu dire ?

— Vous avez raison. Elles l'ont terriblement ennuyé. Il nous a même demandé s'il y avait des étrangers dans la maison.

— Des étrangers ?

Neele fronça le sourcil.

— Il craignait quelque chose ? demanda-t-il.

— Je n'en ai pas eu l'impression, mais ces sottises l'avaient visiblement agacé. A mon avis, c'étaient de simples plaisanteries, de très mauvais goût, imputables peut-être à Crump, qui n'est pas un personnage très équilibré et qui, de surcroît, a le tort de boire. Il lui arrive de se montrer d'une rare insolence et je me suis souvent demandé s'il n'avait pas, contre Mr Fortescue, quelque grief dont il cherchait à se venger avec ces merles. La chose vous paraît-elle possible, inspecteur ?

— Tout est possible, répondit Neele.

Ayant dit, il prit congé et se retira.

2

Percival Fortescue était à Londres, mais Neele trouva Lancelot et sa femme, jouant aux échecs dans la bibliothèque.

— Je ne voudrais pas vous déranger, dit-il, faisant mine de se retirer.

Lancelot protesta : ils ne jouaient que pour tuer le temps. L'inspecteur entra.

— Je voudrais simplement vous poser une question, qui sans doute vous paraîtra stupide. Monsieur Fortescue, savez-vous quelque chose des merles ?

— Des merles ? répondit Lancelot avec bonne humeur. De quels merles voulez-vous parler, inspecteur ? Des vrais merles ou de ces gens dont on dit qu'ils sont « de vilains merles » ?

Neele eut un sourire désarmant.

— Je ne le sais même pas ! Des merles, c'est tout ce que je peux dire !

Le visage de Lancelot prit soudain une expression de gravité, chez lui assez inhabituelle.

— Il ne s'agirait pas, par hasard, de la vieille Mine des Merles ?

— La Mine des Merles ? Qu'est-ce que c'est que ça ?

Lance plissa le front, d'un air soucieux.

— L'ennui, inspecteur, c'est que je ne me souviens de cette histoire-là que très vaguement. Il me semble que c'était, quelque part en Afrique, une affaire dont le paternel s'était occupé. Je crois me rappeler qu'elle intéressait la tante Effie, mais je ne garantis rien...

— La tante Effie, c'est Miss Ramsbottom ?

— Elle-même.

— Je lui demanderai des renseignements là-dessus.

Neele ajouta :

— Vous savez que c'est une femme remarquable ? Elle m'intimide !

Lance éclata de rire.

— Ça ne m'étonne pas ! Elle a un caractère difficile, mais je suis sûr qu'elle peut vous être très utile, si vous savez la prendre. Elle a une mémoire excellente et elle adore rappeler ses souvenirs, surtout s'ils peuvent être désagréables à quelqu'un.

Après un silence, il reprit :

— Autre chose. Je suis allé la voir, presque tout de suite après mon arrivée, et elle m'a parlé de Gladys, de qui nous ne savions pas alors qu'elle était morte. La tante m'a dit qu'elle était convaincue que la pauvre fille savait quelque chose qu'elle n'avait pas dit à la police.

— Ça me paraît à peu près certain, déclara Neele.

— D'après ce que j'ai cru comprendre, reprit Lancelot, tante Effie lui conseilla d'aller tout raconter ce qu'elle savait. Dommage qu'elle ne l'ait pas fait !

— Dommage, en effet.

Quelques instants plus tard, ayant rassemblé toute son énergie, l'inspecteur Neele pénétrait dans la forteresse de Miss Ramsbottom. A sa grande surprise, il y trouva Miss Marple, qui, à son arrivée, se leva pour se retirer.

— Restez ! lui dit-il. Vous n'êtes pas de trop !

Miss Ramsbottom annonça à l'inspecteur qu'elle avait invité Miss Marple à s'installer à Yewtree Lodge.

— Pourquoi, ajouta-t-elle, irait-elle dépenser de l'argent au Golf Hotel ? Elle sera bien mieux ici. Il y a une chambre tout à côté, celle qu'occupait, il n'y a pas si longtemps, le Dr Mary Peters, le missionnaire...

Miss Marple avait des scrupules.

— C'est très gentil à vous, Miss Ramsbottom, mais la maison est en deuil...

Miss Ramsbottom ne la laissa pas poursuivre.

— En deuil ? Qu'est-ce que vous me chantez là ? Vous croyez qu'il y a quelqu'un ici pour se lamenter sur la mort de Rex ou sur celle d'Adèle ? Vous coucherez ici ce soir ! Vous n'y voyez pas d'inconvénient, inspecteur ?

— Aucun, certes !

Miss Marple ne discuta plus. Elle remercia avec effusion, puis quitta la pièce pour téléphoner à l'hôtel, afin de libérer la chambre qu'elle avait retenue. Dès qu'elle fut sortie, Miss Ramsbottom se tourna vers Neele.

— A vous, maintenant ! Qu'est-ce qui vous amène ?

— Je me demandais, Miss Ramsbottom, si vous consentiriez à me parler de la Mine des Merles.

Un petit rire aigu sortit de la gorge de la vieille demoiselle.

— Tiens ! tiens, vous avez découvert ça ? Je vous avais bien donné à entendre que c'était par là qu'il fallait chercher. Et qu'est-ce que vous voulez savoir de la Mine des Merles ?

— Tout ce que vous voudrez me dire !

— Ça ne fait pas grand-chose ! Cette affaire remonte à vingt ans, peut-être bien à vingt-cinq. Il s'agissait d'une concession minière en Afrique orientale. Mon beau-frère, qui s'était pour la circonstance associé à un certain MacKenzie, se rendit là-bas avec lui pour étudier l'affaire sur place. MacKenzie est mort des fièvres et Rex est rentré en Angleterre seul. Il a dit que la concession était sans aucun intérêt. C'est tout ce que je sais.

Neele arbora son sourire le plus aimable avant de dire :

— J'ai idée que vous ne me dites pas tout.

— Le reste, c'est des racontars et, autant que je sache, les racontars, les juges n'en tiennent pas compte.

— Mais nous ne sommes pas encore devant eux !

— Qu'est-ce que vous voulez que je vous dise? Les MacKenzie ont prétendu que Rex avait escroqué son associé. Était-ce vrai ou non? Je l'ignore. Il en était capable, car les scrupules ne l'étouffaient pas, mais on n'a rien pu prouver, et le contraire eût été étonnant. Il s'arrangeait toujours pour rester dans la légalité. Mrs MacKenzie, qui déplaçait beaucoup d'air, est venue ici faire du scandale et la menace à la bouche. Elle prétendait que Rex avait tué son mari et nous avons assisté à des scènes qui étaient du pur mélodrame. Je crois, d'ailleurs, que la pauvre femme a été internée peu après. Elle avait amené avec elle ses deux enfants, deux gosses qui paraissaient terrorisés et dont elle disait que, plus tard, ils vengeraient leur père. C'est tout ce que je puis vous raconter. J'ajoute que Rex avait bien d'autres escroqueries à son actif et que vous n'êtes pas au bout de vos découvertes.

— Ces petits MacKenzie, savez-vous ce qu'ils sont devenus?

— Aucune idée. Notez bien que, pour ma part, je ne pense pas que Rex ait assassiné MacKenzie. Je crois seulement qu'il l'a laissé mourir. Devant Dieu, cela revient au même. Mais, pour la loi, c'est tout autre chose...

Après son entretien avec Miss Ramsbottom,

l'inspecteur Neele donna deux coups de téléphone, l'un à Ansell et Worrall, les avoués, l'autre au Golf Hotel. Puis il sortit, après avoir dit au sergent Hay où, en cas d'urgence, il lui serait possible de le joindre.

CHAPITRE XVII

1

Mr Ansell apparut à l'inspecteur Neele comme un avoué moins soucieux de défendre les droits et prérogatives de sa profession que d'aider la police autant qu'il lui était possible.

Il reconnut très volontiers avoir rédigé le testament de feu Mrs Adèle Fortescue. Elle était venue le trouver, environ cinq semaines plus tôt, et sa démarche avait un peu surpris l'homme de loi, qui jamais auparavant ne s'était occupé des affaires de la famille Fortescue. Naturellement, il avait fort bien compris pourquoi Mrs Fortescue ne s'était pas, en la circonstance, adressée aux avoués ordinaires de son mari : elle entendait laisser à Vivian Dubois tous les biens qu'elle posséderait à sa mort.

— Je crois, d'ailleurs, ajouta-t-il, que cela ne représentait pas grand-chose...

Neele acquiesça d'un lent mouvement de tête. A l'époque, c'était assez vrai. Mais, depuis, Rex Fortescue était mort, et sa femme avait hérité de cent mille livres sterling.

Cent mille livres sterling qui, déduction faite des droits successoraux, devaient aujourd'hui appartenir à Mr Vivian Edward Dubois.

2

L'inspecteur se rendit ensuite au Golf Hotel. Vivian Dubois attendait son arrivée avec impatience. Le coup de téléphone de Neele l'avait touché alors que, ses bagages bouclés, il s'apprêtait à quitter l'hôtel. Neele avait prié Dubois de rester. Invitation courtoise, que le policier avait faite d'un ton aimable et comme en s'excusant, mais sur la nature de laquelle Dubois ne s'était pas trompé. Au vrai, c'était un ordre.

Il s'était incliné d'assez mauvaise grâce et il le fit sentir à l'inspecteur dès les premiers mots de la conversation.

— J'espère, lui dit-il, que vous vous rendez compte qu'il est très gênant pour moi de reculer mon départ. Mes affaires m'appellent ailleurs. Des décisions urgentes...

Neele s'excusa, il ne savait pas que Mr Dubois fût dans les affaires.

— J'imagine, dit-il ensuite, que la mort de Mrs Fortescue a été pour vous un coup très rude. Vous étiez très amis, n'est-ce pas ?

— Oui. C'était une femme charmante et il m'arrivait très souvent de jouer au golf avec elle.

— Si je ne me trompe, reprit Neele, vous lui avez téléphoné le jour même de sa mort, dans l'après-midi ?

— Vous croyez ? Je ne me rappelle pas.

— Vers quatre heures.

— Réflexion faite, c'est possible.

— De quoi avez-vous parlé ?

— A vrai dire, de rien. Je me suis enquis de la santé de Mrs Fortescue et je lui ai demandé s'il y avait du nouveau sur la mort de son mari.

— Ensuite, vous êtes allé vous promener ?

— Je crois bien que oui... Plus exactement, j'ai été faire un parcours au golf...

Neele protesta gentiment.

— Je ne crois pas, monsieur Dubois... Pas ce jour-là... Le portier de l'hôtel vous a vu prendre la route qui mène à Yewtree Lodge.

Les yeux de Dubois fuyaient ceux du policier.

— Vous croyez ? dit-il. Je ne me souviens pas.

— Est-ce que vous ne seriez pas allé rendre visite à Mrs Fortescue ?

La réponse, cette fois, vint tout de suite.

— Non ! Certainement, non !... Je ne suis pas allé à Yewtree Lodge.

— Alors, où êtes-vous allé ?

— Sur la route... J'ai marché jusqu'aux « Three Pigeons », puis j'ai fait demi-tour et je suis revenu par les links.

— Vous êtes sûr ?

— Absolument.

L'inspecteur hocha la tête.

— Voyons, monsieur Dubois ! Ne feriez-vous pas mieux de dire la vérité ? Vous aviez peut-être une raison très innocente d'aller à Yewtree Lodge...

— Je vous répète que je ne suis pas allé voir Mrs Fortescue ce jour-là.

— Très bien ! dit Neele d'une voix bonhomme. Cette déclaration, nous serons probablement obligés de vous demander de nous la faire sous la foi du serment et à ce moment-là, vous penserez que la loi vous autorise, en la circonstance, à parler en présence de votre avocat.

Vivian Dubois avait blêmi.

— Vous me menacez?

— Nullement. Bien au contraire, même ! Je vous rappelle que vous avez des droits !

— Je vous répète que je ne suis pour rien dans la mort de Mrs Fortescue !

— Vous ai-je accusé? Je dis seulement, monsieur Dubois, que ce jour-là, vers quatre heures et demie, vous vous trouviez à Yewtree Lodge. D'une fenêtre, quelqu'un vous a aperçu.

— Soit ! J'étais dans le jardin, mais je ne suis pas entré dans la maison.

— En êtes-vous sûr? Ne seriez-vous pas entré par la petite porte et ne seriez-vous pas allé faire un tour au premier étage, dans le boudoir de Mrs Fortescue? Est-ce que vous ne cherchiez pas quelque chose qui se trouvait dans le secrétaire et qui n'y était plus quand vous êtes venu?

Dubois baissa la tête.

— Ainsi, dit-il d'une voix étouffée, vous avez les lettres? Adèle m'avait juré les avoir brûlées... Ce que je tiens à dire, c'est qu'il ne faut pas leur donner une signification qu'elles n'ont pas !

— Vous étiez un ami *très intime* de Mrs Fortescue. Vous ne le niez pas?

— Je ne le pourrais guère, maintenant que vous avez mes lettres ! Seulement, il ne faut pas croire que nous avons jamais eu l'intention de... nous débarrasser de Rex Fortescue. Dieu merci, je ne suis pas un assassin !

— Mais Mrs Fortescue?

— Elle? Vous n'y pensez pas ! N'a-t-elle pas été tuée, elle aussi?

— Sans doute.

— Alors, n'est-il pas normal de croire qu'elle a été tuée par la personne qui avait précédemment tué son mari?

— C'est une hypothèse, mais il y en a d'autres. On peut supposer, par exemple, que c'est Mrs Fortescue qui a supprimé son époux et qu'elle est devenue, à partir de ce moment-là, une menace, un danger, pour quelqu'un. Plus précisément, pour une personne qui, sans être complice de son crime au sens propre du mot, l'aurait encouragée à se débarrasser de son mari. Quelqu'un, si l'on veut, pour l'amour de qui elle aurait tué.

Dubois était livide. Il balbutia :

— Vous ne pouvez pas parler sérieusement ! Je suis innocent.

L'inspecteur continuait.

— Vous savez qu'elle a laissé un testament qui vous fait héritier de tout ce qu'elle possède?

— Je n'en veux pas !

— Évidemment, ça ne fait pas grand-chose... Quelques bijoux, quelques fourrures, mais, si je ne m'abuse, très peu d'argent...

— Je croyais pourtant que son mari...

Dubois n'acheva pas sa phrase. Un peu tard, il découvrait qu'il avait perdu une belle occasion de se taire.

Neele souriait.

— Très intéressant, dit-il d'une voix sèche. Je me demandais si vous connaissiez les dispositions testamentaires de Rex Fortescue...

3

Après sa conversation avec Vivian Dubois, l'inspecteur Neele en eut une autre, toujours au Golf Hotel, avec Mr Gerald Wright.

D'une stature assez semblable à celle de Vivian Dubois, ce qui ne manqua pas de frapper Neele, Mr Gerald Wright revendiquait la qualité d'intellectuel et se prenait visiblement pour un homme supérieur. Ce fut avec une certaine condescendance qu'il demanda au policier en quoi il pouvait lui être utile.

— Je désirerais, répondit Neele, m'entretenir avec vous de certains... événements qui se sont déroulés récemment à Yewtree Lodge. Vous avez entendu parler d'eux, j'imagine ?

Il y avait de l'ironie dans la question. Mr Wright sourit aimablement.

— C'est trop peu dire ! s'écria-t-il. Les journaux ne parlent que de ça ! Mais j'ai bien peur de vous décevoir, car, en fait, je ne sais que ce qu'ils m'ont appris. Quand Rex Fortescue est mort, j'étais dans l'île de Man.

— Mais vous êtes arrivé ici peu après. Vous aviez bien reçu un télégramme de Miss Elaine Fortescue ?

— La police est bien renseignée. Effectivement, Elaine m'a appelé et je suis venu.

— Vous devez, je crois, l'épouser prochainement ?

— C'est exact. A moins que vous n'y voyiez quelque inconvénient...

— La chose ne regarde que Miss Fortescue. Il y a, je crois, six ou sept mois qu'il est question de mariage entre vous ?

— Exact.

— Vous vous êtes fiancés et Rex Fortescue a refusé de donner son consentement au mariage, ajoutant que, si sa fille passait outre, elle ne devrait plus compter sur aucune aide financière de sa part. Sur quoi, vous avez repris votre parole et vous êtes parti.

Gerald Wright eut un sourire contraint.

— Je ne suis pas tout à fait d'accord, inspecteur, sur cette façon de présenter les choses. En réalité, j'ai été victime de mes opinions politiques. Rex était un capitaliste de la pire espèce et je n'allais pas renoncer à mes convictions pour lui faire plaisir ?

— Mais vous ne voyez aucune objection à épouser une jeune personne qui vient d'hériter de cinquante mille livres sterling ?

— Aucun, répondit Wright, avec un petit rire satisfait. L'argent sera dépensé pour le bien de la collectivité... Mais j'imagine, inspecteur, que vous n'êtes pas venu ici pour discuter de mes ressources ou de mes convictions ?

— C'est exact. Il s'agit simplement d'un fait matériel. Ainsi que vous ne l'ignorez pas, Mrs Adèle Fortescue est morte dans l'après-midi du 5 novembre, empoisonnée par du cyanure de potassium. Comme, cet après-midi-là, vous étiez dans le voisinage de Yewtree Lodge, j'ai pensé que vous auriez peut-être vu ou entendu quelque chose que j'aurais intérêt à connaître.

— Et qu'est-ce qui vous fait croire que, cet après-midi-là, je me trouvais, comme vous dites « dans le voisinage » de Yewtree Lodge ?

— Vous êtes sorti de l'hôtel à quatre heures un quart et vous vous êtes éloigné sur la route qui mène à Yewtree Lodge. Il me semble naturel de supposer que c'est là-bas que vous êtes allé.

— Effectivement, j'en ai eu l'intention. Mais j'ai réfléchi que je n'avais rien à faire à Yewtree Lodge, puisque j'avais rendez-vous avec Elaine Fortescue à l'hôtel, à six heures. J'ai donc suivi un chemin qui prend sur la grande route et, à six heures, j'étais rentré à l'hôtel. Elaine n'est pas venue au rendez-vous. Étant donné les circonstances, le contraire eût été étonnant.

— Au cours de votre promenade, avez-vous rencontré quelqu'un ?

— J'ai croisé quelques voitures sur la route, je crois, mais je n'ai vu personne de connaissance, si c'est ce que vous voulez dire.

— De sorte que, sur ce que vous avez fait entre quatre heures un quart et six heures, je dois m'en rapporter uniquement à ce que vous me dites ?

Gerald Wright souriait.

— C'est fâcheux pour vous aussi bien que pour moi, inspecteur, mais c'est comme ça !

— Seulement, reprit Neele d'une voix douce, si quelqu'un me disait vous avoir aperçu dans les jardins de Yewtree Lodge vers quatre heures trente-cinq...

L'inspecteur laissa sa phrase inachevée. Gerald Wright fronça le sourcil.

— A cette heure-là, la visibilité devait être très mauvaise. Je doute qu'on puisse se montrer très affirmatif...

— Bien, dit Neele. Connaissez-vous Mr Vivian Dubois, qui est au Golf Hotel, lui aussi ?

— Dubois ? Je ne crois pas. Ce ne serait pas ce monsieur qui porte des souliers de daim d'un goût si contestable ?

— Si. Cet après-midi-là, il est allé se promener, lui aussi, du côté de Yewtree Lodge. Vous ne l'auriez pas rencontré sur la route, par hasard?

— Certainement pas.

Pour la première fois depuis le début de l'entretien, Gerald Wright semblait mal à l'aise.

— Curieux ! dit pensivement Neele. Ce jour-là, le temps était maussade et tout le monde semble avoir éprouvé le besoin d'aller se promener.

4

A son retour à Yewtree Lodge, Neele fut accueilli par un sergent Hay au visage rayonnant de satisfaction.

— Alors? dit Neele.

— Il s'agit des merles, monsieur. Maintenant, je sais !

— Pas possible?

— Si, monsieur. Ils étaient dans un pâté en croûte. Ce pâté-là, on l'avait mis de côté pour le dîner du dimanche. Quand on l'a ouvert, on s'est aperçu que quelqu'un avait enlevé la viande qui était à l'intérieur, du veau et du jambon, pour la remplacer par des merles, que les jardiniers avaient abattus à coups de carabine, la veille ou l'avant-veille. Une sale blague, hein?

— *Un gentil plat à servir à un roi !* dit Neele, songeur.

Le sergent Hay le regarda sans comprendre.

CHAPITRE XVIII

1

Miss Ramsbottom termina sa patience, puis, avec un sourire satisfait, se tourna vers la jeune femme qui se trouvait debout près de la cheminée.

— Ainsi, vous êtes l'épouse de Lancelot ?

Pat, qui avait été invitée par Miss Ramsbottom à lui rendre visite, hocha la tête.

— Vous êtes de bonne taille, reprit la vieille demoiselle, et vous avez l'air de bien vous porter.

— J'ai une très bonne santé, en effet.

Miss Ramsbottom sourit.

— La femme de Percival devient bouffie, dit-elle. Elle mange trop de gâteaux et ne prend pas assez d'exercice... Asseyez-vous donc, mon enfant !... Où avez-vous fait la connaissance de mon neveu ?

— Je l'ai rencontré au Kenya, où j'étais chez des amis à moi.

— Vous aviez déjà été mariée, je crois ?

— Oui, deux fois.

Miss Ramsbottom renifla.

— Deux divorces ? demanda-t-elle.

Pat répondit d'une voix qui tremblait un peu :

— Non. Deux... morts. Mon premier mari était pilote de chasse. Il a été tué en combat aérien.

— Et le second?... Il s'est suicidé, je crois bien?

Pat inclina la tête, sans rien dire.

— A cause de vous? reprit Miss Ramsbottom.

— Non.

— Il jouait?

— Oui.

Miss Ramsbottom resta silencieuse un instant. Pat, sous son regard qui ne la quittait pas, se sentait assez mal à l'aise.

— Qu'est-ce que vous savez de la famille dans laquelle vous êtes entrée? demanda brusquement la vieille demoiselle.

— A peu près autant qu'on en sait généralement de la famille qui va devenir la vôtre...

— Je m'en doutais. Eh bien ! je vais vous renseigner. Ma sœur était une imbécile et mon beau-frère un brigand. Percival est un sournois et votre Lance a toujours été la brebis galeuse de la famille.

Pat réagit violemment.

— Je ne crois rien de tout ça !

Vous avez peut-être raison, reprit Miss Ramsbottom, à la grande surprise de la jeune femme. On a souvent tort de mettre des étiquettes sur les gens. Malgré cela, méfiez-vous de Percival. Ici, il passe pour un brave garçon et on a généralement tendance à croire qu'un brave garçon est toujours stupide. Ce n'est pas son cas. Il est très fort. Je ne l'ai jamais aimé, mais je suis obligée de reconnaître qu'il n'est pas sot... Notez que je ne fais pas confiance à Lance non plus et qu'il y aurait beaucoup à dire sur la façon dont il s'est conduit...

Seulement, lui, il m'a toujours été sympathique... Mais c'est une tête brûlée, et il n'a peur de rien ! Surveillez-le et tâchez de le retenir ! Et dites-lui bien, surtout, de ne pas sous-estimer Percival et de ne pas croire un mot de tout ce qu'il lui raconte ! Il n'y a que des menteurs dans cette maison !

Souriante, la vieille demoiselle ajouta :

— Mais le bon Dieu les punira !

2

L'inspecteur Neele était en conversation téléphonique avec Scotland Yard.

— Ce renseignement, dit à l'autre bout du fil la voix de l'Assistant Commissioner, nous devrions être en mesure de vous le procurer. Une circulaire aux maisons de santé... Mais elle *peut* être morte.

— C'est même probable ! Il y a si longtemps...

— L'hypothèse ne vaut sans doute rien.

— Je le sais et je ne perds pas les autres de vue. Dubois reste une possibilité, et Wright également. Il se peut que Gladys ait vu l'un ou l'autre près de la petite porte, qu'elle ait posé son plateau à thé et qu'elle soit allée voir ce qu'il voulait. Le type l'aurait alors étranglée, avant de traîner le corps où il a été trouvé...

— Et qu'allez-vous faire maintenant, Neele?

— J'ai pris rendez-vous avec les avoués de Londres. Je désirerais en savoir un peu plus long sur les affaires de Rex Fortescue et, bien que ce soit de l'histoire ancienne, j'aimerais qu'on me parle un peu de la Mine des Merles.

3

Mr Billingby, de l'étude Billingby, Horsethorpe et Walters, était un homme courtois, mais en général assez peu enclin à parler des affaires de ses clients. Au cours de ce second entretien avec l'inspecteur Neele, il devait cependant se départir de sa discrétion professionnelle ordinaire. Il y avait eu, à Yewtree Lodge, trois assassinats et Mr Billingby ne demandait qu'à aider la police dans sa tâche.

— Je connaissais Rex Fortescue depuis une quinzaine d'années, dit-il, répondant à la première question de Neele, et j'étais en relations constantes avec lui. Toutefois, je vous signalerai que nous n'étions point ses seuls avoués.

Cela, Neele le savait. La firme était sérieuse et de solide réputation, et, pour certaines de ses transactions, de caractère discutable. Fortescue avait recours à des *solicitors* moins scrupuleux que ne l'étaient Billingby, Horsethorpe et Walters.

— Que voulez-vous savoir ? poursuivit Billingby. Je vous ai tout dit, quant au testament de Fortescue. Les legs payés, le reste de sa fortune va à Percival Fortescue.

— Ce qui m'intéresse aujourd'hui, répondit Neele, c'est le testament de sa veuve. A la mort de Fortescue, si mes renseignements sont exacts, elle hérite cent mille livres sterling ?

Billingby le confirma d'un signe de tête.

— C'est une grosse somme, dit-il, et je puis ajouter, tout à fait entre nous, que l'affaire aurait bien du mal à la payer.

— Elle est donc en mauvaise posture ?

— Toujours en confidence, je puis vous répondre

oui. Elle est en difficulté depuis quelque dix-huit mois.

— Et pourquoi ?

— Uniquement, je crois, par la faute de Rex Fortescue lui-même. On peut dire qu'au cours des douze derniers mois il s'est comporté comme un homme ayant perdu la raison. Il vendait des valeurs sûres pour en acheter d'autres qui ne présentaient aucun intérêt, il tenait des discours extravagants et il était devenu impossible de lui donner le moindre avis. Son fils, Percival m'avait prié d'user auprès de lui de l'influence que je pouvais avoir. J'ai fait ce que j'ai pu, mais c'était perdre son temps que de vouloir lui parler raison. J'avais devant moi un homme différent de celui que j'avais connu.

— Il était... déprimé ?

— Nullement. Au contraire, même. Il s'écoutait parler, il était sûr de son génie...

Neele hocha la tête. Il commençait à comprendre pourquoi le père et le fils ne s'entendaient plus.

— Pour ce qui est du testament de Mrs Fortescue, poursuivit Billingby, je ne puis malheureusement vous renseigner. Ce n'est pas chez nous qu'il a été rédigé.

— Je ne l'ignore pas, répondit Neele. Je ne venais vous demander qu'une confirmation. Il me suffit de savoir que Mrs Fortescue laisse une fortune de cent mille livres sterling.

Vivement, Mr Billingby protesta.

— Pas du tout, cher monsieur ! Vous êtes dans l'erreur !

— Comment cela ? Il ne s'agissait que d'un usufruit ?

— Non, cet argent était bien un legs et il était

bien à elle, mais sous condition suspensive. Il ne devait lui appartenir définitivement que si elle survivait un mois entier à son mari. Cette disposition, parfaitement légale, est assez courante depuis quelques années et on peut la considérer comme une conséquence indirecte de l'insécurité relative des voyages aériens. Quand deux personnes sont tuées dans un accident d'avion, il est souvent très difficile de dire laquelle à survécu à l'autre, ne fût-ce que de quelques minutes. D'où ces problèmes de dévolution difficiles à résoudre, qu'on évite en insérant dans les testaments une clause analogue à celle qui figure dans celui de Rex Fortescue.

Neele regardait l'avoué, sans dissimuler sa surprise.

— Si je comprends bien, dit-il, Adèle Fortescue n'a donc pu disposer de ces cent mille livres sterling. Alors, cet argent, que devient-il ?

— J'imagine qu'il retourne à l'affaire. Ou, plus probablement, au légataire universel.

— Lequel n'est autre que Mr Percival Fortescue ?

— C'est cela même, dit Mr Billingby. Et, étant donné les circonstances, je dirais volontiers qu'il arrive bien !

4

— Les curiosités que vous avez, vous autres, policiers, dit le médecin à son ami Neele, c'est quelque chose qu'on imagine pas !

L'inspecteur sourit.

— Allez-y, Bob ! Je vous écoute.

— Eh bien ! mon vieux, je crois que vous voyez

juste. Il devait bien s'agir de paralysie générale. D'après ce que vous me dites, il n'y a pas de doute. Tout y est : la mégalomanie, les accès de colère, la certitude de toujours avoir raison, la folie des grandeurs... Tout ce qu'il faut pour couler rapidement une affaire dans un temps record... Que le bonhomme soit mort, tout compte fait, c'est une chance pour vos amis !

— Ils ne sont pas mes amis, répliqua Neele.

Et, reprenant une phrase qu'il avait déjà prononcée, il ajouta :

— *Tous ces gens-là sont bien antipathiques...*

CHAPITRE XIX

Toute la famille Fortescue était réunie dans le grand salon de Yewtree Lodge. Accoudé au manteau de la cheminée, Percival Fortescue parlait.

— Tout cela est très joli, mais la situation n'en est pas moins très désagréable. Les policiers vont et viennent dans la maison, sans nous tenir au courant de rien. Qu'ils sachent ce qu'ils font, je veux le croire. Mais, en attendant, nous sommes bloqués. On ne peut pas faire de projets, on ne peut prendre aucune disposition pour l'avenir.

Il se tut quelques secondes, puis reprit :

— Cet avenir, pourtant, je crois que nous pouvons en discuter entre nous. Pour commencer, Elaine, parlons de toi ! Je crois savoir que tu as l'intention d'épouser... comment s'appelle-t-il ?... Gerald Wright. Peut-on te demander quand le mariage aura lieu ?

La réponse d'Elaine vint tout de suite.

— Le plus tôt possible.

Percival fronça le sourcil.

— Autrement dit, dans six mois d'ici ?

— Pourquoi six mois ?

— Les convenances...

Elaine haussa les épaules.

— Nous attendrons un mois. Pas plus !

— C'est toi que ça regarde ! dit Percival. Et, quand vous serez mariés, que ferez-vous ? Vous avez examiné la question ?

— Nous avons l'intention de créer un établissement d'enseignement.

— Une entreprise risquée, par le temps qui court ! fit remarquer Percival. A ta place, j'y regarderais à deux fois.

— Notre décision est prise.

— Très bien, dit Percival. Je vois Mr Billingby après-demain. Nous avons quelques problèmes à régler, sur le plan financier. Il pense que tu voudras probablement laisser ta part d'héritage dans l'affaire familiale, avec, bien entendu, des garanties qui...

Elaine coupa la parole à son frère.

— Il n'en est pas question. Cet argent, nous en avons besoin pour créer notre école. Nous avons trouvé, en Cornouailles, un bâtiment magnifique qui est à vendre et qui nous intéresse beaucoup. Il y aurait des réparations à faire, il faut envisager quelques constructions supplémentaires...

— Est-ce que tu aurais songé à retirer ton argent de l'affaire ? En toute bonne foi, Elaine, je ne crois pas que ce soit sage !

— Ce n'est pas mon avis. C'est toi-même, Val, qui m'as dit, avant la mort de papa, que la situation de la maison n'était pas tellement brillante !

— Il ne faut pas tout interpréter à la lettre, Elaine. Je répète que ce serait folie de ta part que d'investir tes capitaux dans la création d'une école dont la réussite est très hypothétique. Suppose qu'elle ne marche pas, ton école ! Tu resteras sans un sou !

— Elle marchera !

— Et, de toute façon, dit Lancelot, du fauteuil dans lequel il était assis, tu as cent fois raison, Elaine, de faire ce qu'il te plaît ! J'ai idée que ton école sera une drôle d'école, mais, puisque tu peux te l'offrir, tu aurais bien tort de te gêner ! Si tu perds ton argent, tu auras du moins la consolation de te dire que tu as fait ce que tu voulais faire !

Percival se tourna vers son frère.

— Tu m'aurais surpris en parlant autrement ! dit-il d'un ton acide.

— Je sais ! Ne te fatigue pas ! Je suis un panier percé, c'est entendu, mais je continue à penser que, de nous deux, c'est encore moi qui ai la meilleure part !

— C'est ton point de vue, répliqua Percival, et je ne le discute pas. Parlons plutôt de tes intentions ! Que vas-tu faire ? Retourner au Kenya, j'imagine ? A moins que tu n'ailles explorer le Grand Nord ou escalader l'Everest ?

— Qu'est-ce qui te fait croire ça ?

— Est-ce que tu n'as pas toujours eu la bougeotte ?

— Possible, mais on change en vieillissant. Figure-toi, mon vieux Percy, que je songe à me transformer en un homme d'affaires, posé, rassis et casanier.

— Voudrais-tu dire ?...

— Je veux dire que je m'installe dans la maison, à tes côtés. Naturellement, c'est toi qui mèneras la barque, je ne serai que ton associé, mais j'ai dans l'affaire une part suffisante pour qu'elle m'intéresse... et pour que j'aie le droit, dans l'avenir, de savoir comment on la gouverne.

— Si c'est ainsi que tu vois les choses, soit !...

Tout ce que je puis te dire, c'est que tu t'ennuieras terriblement !

— Je n'en suis pas si sûr !

Un silence suivit. Ce fut Percival qui le rompit.

— Je ne puis pas croire, Lance, que tu parles sérieusement !

— Mais si ! Je veux ma part du gâteau. C'est normal !

Percival fit la grimace.

— Les affaires vont mal, tu t'en apercevras. Et la situation sera fort difficile si Elaine insiste pour recevoir sans délai tout ce à quoi elle a droit !

— Ce qui te prouve, ma chère Elaine, dit Lance avec un large sourire, que ce n'est pas une mauvaise idée de ta part d'exiger ton argent pendant qu'il est encore là !

— Tu pourrais nous épargner ces plaisanteries d'un goût fâcheux ! lança Percival d'un ton pointu.

Pat, installée près de la fenêtre, regardait son mari. Il souriait. Si, ainsi qu'elle le pensait, il avait surtout l'intention d'exaspérer son frère, il y réussissait pleinement : Percival était sorti de son impassibilité ordinaire, et ce fut d'une voix chargée de colère qu'il relança la conversation.

— Alors, c'est sérieux?

— On ne peut plus sérieux.

— Bon. Tu en auras vite assez.

— Ça m'étonnerait ! Et je ne vois pas pourquoi tu te fâches. Tu n'es pas content de savoir que tu vas pouvoir te décharger sur moi d'une partie de tes soucis?

— Mais tu ne te rends pas compte de la situation de l'affaire !

— Tu me l'expliqueras !

— Il faut bien comprendre que, depuis six mois,

pour ne pas dire un an, notre père n'était plus lui-même ! Il a vendu par paquets des valeurs de premier ordre pour acquérir des titres qui ne valent pas le poids du papier. Il y a des jours où il jetait l'argent par les fenêtres, comme par plaisir...

— En somme, dit Lance, c'est une chance pour la famille que quelqu'un ait songé à lui coller de la taxine dans son thé !

— C'est présenter les choses de façon odieuse, mais il y a du vrai ! S'il n'était pas mort, nous courions à la faillite. Et, pour rétablir la situation, il faudra, pendant quelque temps au moins, manœuvrer avec beaucoup de prudence et de circonspection.

Lancelot secoua la tête.

— Pas mon avis ! Cette politique-là ne mène nulle part. Il faut prendre des risques et se montrer. Il faut voir grand.

— Je ne suis pas d'accord, reprit Percy. Prudence et économie, voilà nos mots d'ordre !

— Les tiens, mais pas les miens !

Percival, maintenant, marchait de long en large dans la pièce.

— Ainsi que tu dois t'en rendre compte, Lance, tes vues sont très différentes des miennes.

— Ce peut être un avantage.

— J'en doute et, pour moi, il n'y a qu'une solution : rompre notre association.

— C'est une idée ! Tu me rachèterais ma part?

— Je ne vois pas autre chose à faire.

— Mais comment t'y prendras-tu, étant donné que tu auras déjà beaucoup de peine à payer à Elaine ce qui lui revient?

— Je n'ai pas parlé d'un paiement en espèces. Nous pouvons... nous partager les titres.

— Tu garderais les valeurs de père de famille et tu me donnerais les autres, celles qui ressemblent à des billets de loterie ?

— Des valeurs spéculatives, oui. Tu aimes le risque, tu le dis toi-même !

Lance ricana.

— C'est assez vrai, mon vieux Percy ! Seulement je n'ai pas le droit de me laisser emporter par mes goûts personnels. Je dois penser à Pat.

Les deux hommes tournèrent la tête vers la jeune femme. Elle ouvrit la bouche, puis la ferma sans avoir rien dit. Elle ne voyait pas quel jeu jouait Lancelot, mais quel qu'il fût, mieux valait qu'elle n'intervînt pas.

— Tes titres spéculatifs, reprit Lance, je les vois d'ici ! Des mines de diamants qui n'existent pas, des concessions pétrolières fantômes... Tu me crois donc idiot ?

— Je reconnais qu'il y a, dans le lot, des affaires très hasardeuses, mais certaines *peuvent* devenir excellentes.

— Je vois ! Tu vas m'offrir les dernières acquisitions paternelles et quelques autres par-dessus le marché. Les actions de la vieille Mine des Merles, par exemple... Au fait, cet inspecteur de police, il t'a parlé de la Mine des Merles ?

— Oui. Je ne sais pas pourquoi elle l'intéresse et je n'ai pas pu lui apprendre grand-chose. A l'époque, toi et moi, nous étions des enfants et je n'ai gardé de tout ça qu'un souvenir assez vague. Je me rappelle vaguement un voyage de papa, qui, à son retour, a dit que l'affaire était sans intérêt.

— Il s'agissait d'une mine d'or, je crois ?

— Oui. Mais papa fut très affirmatif, il n'y avait pas d'or à en extraire.

— C'est un certain MacKenzie qui lui avait proposé l'affaire, n'est-ce pas ?

— Oui. Ce MacKenzie est parti pour l'Afrique avec lui et il est mort là-bas.

— Et sa veuve est venue un jour à la maison, dit Lance, pensivement. Je me souviens d'une scène terrible... Cette Mrs MacKenzie était déchaînée... Et, si je ne me trompe pas, elle accusait carrément papa d'avoir assassiné le MacKenzie en question !

— Je ne me rappelle pas ça, dit Percival d'un ton sec.

— Tu auras oublié... La chose m'aura sans doute frappé, parce que j'étais plus jeune que toi. Cette mine, où se trouvait-elle ? En Afrique occidentale, si j'ai bonne mémoire ?

— Oui.

— Il faudra, un jour, que je cherche sur la carte l'emplacement exact de la concession.

— Tu peux être sûr que papa ne s'est pas trompé. S'il est revenu en disant qu'il n'y avait pas d'or, c'est qu'il n'y en avait pas.

— Tu as probablement raison...

Après un silence, Lancelot ajouta :

— Cette pauvre Mrs MacKenzie ! Je me demande ce qu'elle est devenue... Et aussi les deux gosses qu'elle avait amenés avec elle ! Ils doivent être grands, maintenant...

CHAPITRE XX

L'inspecteur Neele était assis, au parloir du Pinewood Private Sanatorium, en face d'une dame à cheveux gris, Helen MacKenzie, âgée de soixante-trois ans, mais qui paraissait plus jeune. Elle avait le menton fuyant et de beaux yeux bleus, au regard vague et lointain. Un tic nerveux tordait de temps à autre sa lèvre supérieure. Elle tenait sur ses genoux une grosse Bible ouverte.

Quelques instants auparavant, Neele avait eu un rapide entretien avec le Dr Crosbie, directeur de la maison de santé. Celui-ci lui apprit que Mrs MacKenzie avait elle-même demandé son internement, qu'elle souffrait de troubles mentaux, mais seulement par crises. La plupart du temps, elle raisonnait de façon très lucide et pouvait soutenir une conversation.

L'inspecteur la remercia tout d'abord d'avoir bien voulu le recevoir.

— Je m'appelle Neele, dit-il, et je voudrais que vous me parliez d'un Mr Fortescue, qui vient de mourir. Rex Fortescue... J'imagine que le nom vous dit quelque chose ?

Mrs MacKenzie gardait les yeux fixés sur sa Bible.

— Je ne connais pas ce monsieur, dit-elle.

— Rex Fortescue, madame.

— J'avais entendu. Je ne le connais pas.

Un peu déconcerté, Neele se demandait si la malade était aussi « normale » que le Dr Crosbie le lui avait assuré. Il reprit :

— Je crois, madame, que vous l'avez connu, il y a un certain nombre d'années.

— C'était hier.

— Ah ?... Il me semblait que vous lui aviez rendu visite, il y a longtemps déjà, en sa résidence de Yewtree Lodge.

— Une maison bien prétentieuse !

— C'est assez mon avis. Il avait été en relations d'affaires avec votre mari, à propos d'une mine africaine. La Mine des Merles, je crois...

— Il faut que je lise ma Bible. Le temps presse...

— Bien sûr...

L'inspecteur attendit quelques secondes, puis il dit :

— Mr MacKenzie et Mr Fortescue se rendirent ensemble en Afrique, pour voir la mine.

— Elle appartenait à mon mari, déclara Mrs MacKenzie, sans lever les yeux. Il l'avait trouvée, fait reconnaître sa concession, il ne manquait que des capitaux pour l'exploiter. Il est allé les demander à Rex Fortescue. Si j'avais su, c'est une démarche qu'il n'aurait pas faite.

— Je vous comprends. Ils firent donc le voyage ensemble. Là-bas, votre mari mourut des fièvres.

— Il faut que je lise ma Bible.

— Cette mine, qui était à votre mari, croyez-vous Mrs MacKenzie, que Mr Fortescue la lui a volée ?

— La question est stupide.

— Sans doute, sans doute... Mais il s'agit d'événements déjà anciens et il est bien difficile d'enquêter sur une affaire qui est terminée depuis longtemps.

— Où prenez-vous qu'elle soit terminée ?

— D'après vous, elle ne l'est pas ?

— « Un problème n'est pas résolu quand on lui a donné une solution boiteuse. » C'est Kipling qui a dit ça. On ne lit plus Kipling, mais c'était un grand homme.

Brusquement, elle demanda :

— Vous m'avez bien dit que Rex Fortescue était mort ?

— Oui. Il a été empoisonné.

Mrs MacKenzie éclata de rire.

— Erreur ! Il est mort des fièvres.

— Je parle de Rex Fortescue, madame.

— Moi aussi !

Levant les yeux et fixant sur le policier un étrange regard bleu clair, elle poursuivit :

— Il est mort dans son lit.

— Il est mort au Saint-Jude's Hospital.

— Personne ne sait comment mon mari est mort. Personne ne sait comment il est mort, ni où il est enterré. *On ne sait que ce que Rex Fortescue a bien voulu dire* et Rex Fortescue était un menteur.

— Vous croyez qu'il était responsable de la mort de votre mari ?

Mrs MacKenzie laissa la question sans réponse. Réprimant un soupir, Neele reprit :

— Un mois ou deux avant la mort de Rex Fortescue, quelqu'un avait posé sur son bureau des merles, tués dans son jardin.

— Ça, c'est intéressant ! Très intéressant, même.

— Ces merles, qui avait pu les mettre là ? Vous n'avez pas une idée là-dessus ?

— Les idées ? Sottises ! Ce qui compte, c'est l'action. Je les ai élevés dans cette conviction-là !

— Vous faites allusion à vos enfants ?

— A Donald et à Ruby, oui. Ils avaient neuf ans et sept ans quand ils sont devenus orphelins. Je leur ai tout raconté. Et, tous les soirs, je le leur ai fait jurer !

L'inspecteur se pencha légèrement en avant.

— Vous leur avez fait jurer quoi ?

— Mais qu'ils le tueraient, bien sûr !

— Oui, évidemment.

Neele avait dit cela, comme s'il se fût agi de la chose la plus naturelle.

— Et, finalement, demanda-t-il, l'ont-ils tué ?

— Donald était à Dunkerque. Il n'est jamais revenu.

— Je vous plains sincèrement, madame. Et votre fille ?

— Je n'ai pas de fille.

— Vous venez de parler d'elle ! Ruby...

— Je sais. Ruby... Vous savez ce que je lui ai fait, à Ruby ?

— Non, madame.

Baissant la voix, elle murmura :

— Regardez ma Bible !

Il obéit. Mrs MacKenzie lui montrait la page de garde. Il s'agissait, de toute évidence, d'une bible familiale, sur le premier feuillet de laquelle on avait, selon une vieille coutume, enregistré les naissances survenues dans la famille. Du doigt, Mrs MacKenzie désigna à l'inspecteur les deux derniers noms : celui de Donald MacKenzie, d'abord, puis, barré d'un lourd trait de crayon, celui de Ruby MacKenzie.

— Vous voyez, dit-elle, elle ne figure plus sur notre Bible ! Je l'ai rayée à jamais et l'ange du Jugement ne trouvera pas son nom !

— Mais pourquoi avez-vous fait ça?

Un éclair de malice passa dans le regard bleu de Mrs MacKenzie.

— Vous le savez bien !

— Je vous assure que non.

— Parce qu'elle a trahi.

— Ah?... Où est-elle maintenant?

— Je vous l'ai dit, je n'ai pas de fille. Il n'y a plus de Ruby MacKenzie.

— Vous voulez dire qu'elle est morte?

— Morte ! Ça vaudrait mieux pour elle ! Infiniment mieux !... Mais, excusez-moi, il faut que je lise ma Bible !

Neele posa encore quelques questions relatives à Ruby MacKenzie. Il n'obtint pas de réponses. Mrs MacKenzie semblait ne plus faire attention à lui et lisait sa Bible.

Quelques instants plus tard, le policier s'entretenait de nouveau avec le directeur de la maison de santé.

— Mrs MacKenzie a-t-elle, lui demanda-t-il, des parents qui viennent la voir? Une fille, notamment?

— Je crois, lui répondit le Dr Crosbie, que, du temps de mon prédécesseur, sa fille lui a rendu visite. Mais cet entretien a tellement agité la malade qu'on a jugé sage de ne pas le renouveler. Depuis, c'est aux avoués seuls que nous avons affaire.

— Et vous ne savez pas où Ruby MacKenzie pourrait se trouver aujourd'hui?

— Je n'en ai aucune idée.

— Peut-être est-elle mariée?

— Peut-être... Tout ce que je puis faire, c'est vous donner l'adresse des avoués avec lesquels nous sommes en rapport.

Ces *solicitors*, Neele les avait vus sans rien apprendre. Ils administraient les fonds qui leur avaient été confiés au nom de Mrs MacKenzie. L'affaire remontait déjà à quelques années et, depuis, ils n'avaient plus revu Miss MacKenzie.

Neele essaya d'obtenir un signalement de Ruby MacKenzie, mais sans grand succès. Les malades recevaient beaucoup de visites, Miss MacKenzie n'était venue qu'une fois et les souvenirs des deux infirmières qui étaient déjà là à l'époque ne concordaient pas. L'une se la rappelait grande et blonde, l'autre petite et brune.

— Et voilà où nous en sommes ! conclut Neele, après avoir présenté son rapport à l'Assistant Commissioner. Je finirai par croire que, dans toute cette histoire, il n'y a que cette chanson enfantine qui peut nous mener quelque part ! C'est idiot, mais tout colle !

L'Assistant Commissioner restait songeur.

— C'est vrai ! Les merles, qui correspondent à cette mine d'Afrique, les grains de seigle dans la poche du mort, les tartines de miel d'Adèle Fortescue — encore que ce soit une habitude courante que de manger des tartines de miel avec son thé, et, enfin, le troisième meurtre, cette pauvre fille étranglée près de sa corde à linge et un cintre à vêtement piqué dans son nez ! Impossible, il faut bien le dire, de ne pas tenir compte de cette chanson enfantine !

— Une minute ! dit Neele.

— Qu'y a-t-il ?

Neele semblait soucieux.

— Je pense à ce que vous venez de dire. Il y a là-dedans quelque chose qui ne colle pas.

Il poussa un léger soupir, hocha la tête et ajouta :

— Seulement, du diable si je vois ce que c'est !

CHAPITRE XXI

1

Pat et Lancelot se promenaient dans les jardins, admirablement entretenus, de Yewtree Lodge.

— J'espère que tu ne te vexeras pas, dit Pat, si je déclare que je n'ai jamais rien vu de si laid...

— Tu ne me vexes pas, mais je ne sais pas si je suis de ton avis. Il y a ici trois jardiniers et ils sont consciencieux.

— Je n'en doute pas, mais tout ça manque de personnalité. Si j'avais un jardin, il aurait une autre figure... et il n'y aurait pas d'ifs !

Lancelot sourit.

— Association d'idées.

— Peut-être. Je ne puis m'empêcher d'avoir la chair de poule quand je songe à quelqu'un qui tue par le poison... Et quand je pense qu'il y a eu ici trois crimes successifs... Non, cet assassin *ne peut pas avoir toute sa raison!*

— J'ai bien peur que tu ne dises vrai.

Il avait parlé à voix très basse, comme pour lui-même. Haussant le ton, il poursuivit :

— Tu ne devrais pas rester ici, Pat ! Va à

Londres ! Ou, si tu préfères, dans le Devonshire ou en Écosse, dans la région des lacs. Ou à Stratford-upon-Avon... Va n'importe où, mais ne reste pas ici ! La police ne s'opposera pas à ton départ. Tu n'es pour rien dans l'affaire, tu étais à Paris quand le paternel a été empoisonné et à Londres quand les deux autres sont mortes. Alors, éloigne-toi ! Toi ici, je ne suis pas tranquille.

Après un silence, elle dit, très simplement :

— Tu connais l'assassin, n'est-ce pas?

— Non.

— Mais tu crois le connaître... et c'est pourquoi tu as peur pour moi?... Dis-moi qui c'est !

— Je n'en sais rien, mais je donnerais n'importe quoi pour que tu ne restes pas ici !

— Non, mon chéri, je ne m'en irai pas. Je reste... Pour le meilleur ou pour le pire.

D'une voix lasse, elle ajouta :

— Malheureusement, avec moi, c'est toujours pour le pire !

— Qu'est-ce que ça veut dire, ça?

— Ça veut dire que je porte la guigne. A tous ceux que j'approche, hélas !

— Tu es sotte, chérie ! Est-ce que tu m'as porté la guigne, à moi? Il a suffi que je t'épouse pour que le *pater* me fasse venir et se réconcilie avec moi !

— Tu sais ce qui a suivi? Je te le répète, je porte malheur.

— Superstition pure !

— Ne crois pas ça ! Il y a des gens qui portent malheur. Je suis du nombre.

Lancelot saisit sa femme aux épaules et la secoua vigoureusement.

— Ne dis pas des inepties de ce genre-là ! J'ai

eu une grande chance dans ma vie : je t'ai épousée. Mets-toi bien ça dans la tête !

Il la lâcha, puis dit, plus calme :

— Cela dit, Pat, ne fais pas d'imprudences ! S'il y a un cinglé dans le secteur, je ne tiens pas à ce que ce soit toi qui effaces sa balle ! Quand je ne suis pas là, reste dans les jupes de cette vieille demoiselle... Marple, c'est bien ça? Pourquoi la tante lui a-t-elle demandé de rester ici? As-tu une idée?

— Aucune. Mais, *nous*, Lance, combien de temps encore allons-nous rester?

Il haussa les épaules.

— Difficile à dire.

— J'ai l'impression qu'on ne tient pas tellement à nous.

Avec un peu d'hésitation, elle ajouta :

— La maison, j'imagine, appartient maintenant à ton frère?... Il nous verrait sans doute partir avec satisfaction.

Lance ricana.

— C'est une certitude !... Seulement, pour l'instant, il faut qu'il nous supporte !

— Et après, Lance, qu'est-ce que nous ferons? Retournerons-nous en Afrique?

— Tu le souhaites?

Elle répondit oui d'un signe de tête.

— Tant mieux ! s'écria-t-il. Parce qu'il se trouve que je le souhaite aussi.

Un sourire illumina le visage de Pat.

— Je suis bien contente ! Figure-toi que, d'après ce que tu disais l'autre jour, je croyais que tu envisageais de ne pas quitter l'Angleterre !

Il lui adressa un clin d'œil plein de malice.

— Je n'y songe pas, Pat, mais il ne faut rien

dire de nos projets ! Avant de m'en aller, je veux que mon cher frangin en bave un bon coup ! Je ne vois pas pourquoi je me laisserais posséder par lui !

2

Très droite dans son fauteuil, Miss Marple, la tête légèrement inclinée sur le côté, prêtait une oreille attentive à Mrs Percival Fortescue qui, tout de noir vêtue, parlait, faisant seule tous les frais de la conversation et laissant à peine à la vieille demoiselle la possibilité de placer de temps à autre une toute petite phrase.

Mrs Percival avait à se plaindre de bien des choses et c'était pour elle un soulagement de se confier, même à quelqu'un qu'elle ne connaissait pour ainsi dire pas.

— Je ne récrimine jamais, déclarait-elle. Ce n'est pas mon genre et je m'accommode toujours de tout. Ce qu'on ne peut empêcher, il faut le supporter et je n'ai jamais soufflé un mot de tout cela à personne. D'ailleurs, à qui me serais-je confiée? Ici, pratiquement, je suis seule ! Évidemment, c'est pour nous une grosse économie que de vivre ici, mais ce n'est pas comme si nous étions chez nous. Je suis sûre que vous me comprenez...

Miss Marple en donna l'assurance.

— Heureusement, reprit Mrs Percival, nous pourrons bientôt entrer dans notre villa. Les peintres auront terminé d'ici peu. Ils sont d'une lenteur !... Mon mari, lui, se trouve fort bien ici. Mais, pour un homme, ce n'est pas la même chose. C'est bien votre avis?

C'était bien l'avis de Miss Marple et elle le dit avec une authentique sincérité.

— Mon mari est à Londres toute la journée, poursuivit Mrs Percival. Quand il rentre, il est fatigué et il n'a qu'un désir : s'installer dans un fauteuil et lire. Moi, au contraire, je suis seule du matin au soir, *sans la moindre compagnie*. Je m'ennuie. Vous me direz que nous avons des voisins. C'est exact, mais ce sont des gens avec lesquels je ne me sens pas à l'aise. Il y en a, par exemple, qui jouent au bridge. C'est un jeu que j'aime bien. Seulement, leur bridge et le mien ne se ressemblent guère. Ils sont fort riches et font des différences énormes. Leur fréquentation ne m'intéresse pas.

Mrs Percival s'interrompit, le temps de reprendre haleine, et continua :

— Je ne voudrais pas dire du mal des morts, mais il faut bien reconnaître que Mr Fortescue, mon beau-père, avait fait un second mariage absolument ridicule. Sa femme — il m'est difficile de dire « ma belle-mère », car elle avait à peu près le même âge que moi — perdait la tête dès qu'elle voyait un homme. Et, avec ça, elle dépensait sans compter, payant ses factures sans même les regarder ! Ce qui, d'ailleurs, exaspérait Percy, qui a horreur du gaspillage. Ajoutez que, de son côté, mon beau-père, qui n'avait pas le caractère facile, mettait des sommes considérables dans des affaires impossibles... et vous comprendrez pourquoi mon mari était souvent de mauvaise humeur !

— Ces... prodigalités l'inquiétaient?

— Terriblement. Au point qu'avec moi il n'était plus le même, depuis quelques mois. Il m'arrivait de lui parler et de ne pas obtenir de réponse...

Mrs Percival poussa un soupir et reprit :

— Quant à Elaine, ma belle-sœur, c'est une fille bizarre. Elle ne se plaît que dehors. Elle n'est pas méchante, mais elle n'est pas non plus sympathique. Impossible, par exemple, de la décider à aller à Londres, pour courir les magasins ou assister à la présentation d'une collection...

Mrs Percival soupira de nouveau.

— Ça doit vous sembler curieux, dit-elle ensuite, ces confidences que je vous fais, à vous que je connais à peine? Mais, après les émotions de ces derniers temps, il faut que je me confie à quelqu'un !... Et vous me rappelez une vieille et très chère amie à moi, Miss Trefusis James ! A soixante-quinze ans, elle s'était cassé la jambe. Je l'ai soignée et nous sommes devenues de grandes amies. Quand elle a été rétablie, elle m'a donné une cape de renard et, mon Dieu, c'était bien gentil de sa part !

Miss Marple rassura Mrs Percival. Elle comprenait fort bien ce besoin de parler qui n'était que trop naturel.

— J'espère, dit-elle ensuite, que vous ne me trouverez pas... mal élevée si je vous dis que feu Mr Fortescue me paraît avoir été un homme peu sympathique?

— Il ne l'était pas du tout ! Soit dit entre nous, c'était un vieillard odieux. Il n'y a pas d'autre mot.

— Et, d'après vous, qui l'aurait...

Miss Marple cherchait un mot, mais elle n'eut pas à finir sa phrase.

— Qui? Mais Crump, j'en suis convaincue ! C'est un personnage que j'ai toujours détesté. Il n'est pas seulement impertinent, il est... il est...

— Mais, pour tuer, il faut avoir une raison?

— Je ne suis pas tellement sûre qu'il en faille a des individus de son espèce ! Mr Fortescue lui aura sans doute fait une observation que ce Crump ne lui aura pas pardonnée. Il lui arrive de boire et je croirais volontiers qu'il a le cerveau un peu dérangé. A vrai dire, pour être tout à fait sincère, je dois avouer qu'au début *j'ai soupçonné* Adèle d'avoir empoisonné son mari, une hypothèse qui ne valait rien, évidemment, puisqu'elle a été empoisonnée à son tour. Je pense qu'elle aura accusé Crump. Il s'est affolé et s'est arrangé pour la supprimer, par le poison, elle aussi. Gladys a dû le voir... et la pauvre fille, à son tour, a été tuée par cet homme horrible, qui est encore dans la maison ! Je trouve ça inimaginable et je n'ai qu'une hâte : m'en aller d'ici. Seulement, la police ne me le permettrait pas...

Posant sa main potelée sur le poignet de Miss Marple, Mrs Percival ajouta :

— Savez-vous qu'il m'arrive d'avoir envie de *me sauver?*

— Vous auriez tort.

— Vous croyez?

— La police aurait vite fait de vous retrouver.

— Elle serait assez maligne pour ça?

— Il ne faut pas prendre les policiers pour des imbéciles. L'inspecteur Neele, par exemple, m'a paru très intelligent.

— Moi, je l'ai trouvé plutôt bête.

Miss Marple sourit, malgré elle.

— Quoi qu'il en soit, reprit Jennifer Fortescue, j'ai l'impression qu'il est dangereux de rester ici.

— Dangereux... pour vous?

La réponse tarda un peu.

— Oui.

— Parce que... vous savez quelque chose?

— Oh ! non... Je ne sais rien. Seulement, je suis... je suis inquiète. A cause de ce Crump...

Que Mrs Percival eût peur, Miss Marple en était persuadée. Mais le danger qu'elle redoutait, Miss Marple en était non moins persuadée, ne s'appelait point Crump.

CHAPITRE XXII

Le soir tombait. Miss Marple, avec son tricot, s'était approchée de la fenêtre de la bibliothèque. Elle aperçut Pat qui, dehors, faisait les cent pas sur la terrasse. Elle ouvrit la fenêtre et appela la jeune femme.

— Rentrez, ma chère enfant ! Vous allez prendre froid.

Pat obéit et vint retrouver Miss Marple. Elle alluma l'électricité et s'assit sur le canapé, près de la vieille demoiselle.

— Qu'est-ce que vous tricotez là ?

— Une capeline de bébé, pour le premier âge. Les jeunes mères n'en ont jamais trop.

Pat, les jambes allongées, présentait ses semelles au feu qui brûlait dans l'âtre.

— Il fait bon ici ! dit-elle. On se sent en Angleterre. Je parle de l'Angleterre telle qu'elle devrait être...

— Mais elle est comme ça, l'Angleterre ! répliqua Miss Marple. Encore qu'il n'y ait pas beaucoup de Yewtree Lodges !

— Une chance ! s'écria Pat. Car, malgré tout l'argent qu'on a dépensé ici, je ne crois pas que personne ait jamais été heureux dans cette maison.

Miss Marple reconnut que c'était assez son avis.

— Adèle a-t-elle été heureuse ici ? reprit Pat. Je ne l'ai jamais vue et je n'en sais rien. Mais je sais que Jennifer voudrait bien être ailleurs, et depuis longtemps, comme aussi Elaine, qui se meurt d'amour pour un beau jeune homme, de qui elle sait fort bien, au fond de son cœur, qu'il ne l'aime pas et qu'il ne l'aimera jamais. J'ajoute que, *moi aussi*, je voudrais bien m'en aller !

Souriante, elle dit encore :

— Au fait, savez-vous que Lance m'a recommandé de vous lâcher le moins possible ? Il a l'air de croire que, quand je suis dans vos jupes, il ne peut rien m'arriver de fâcheux.

— Votre mari n'est pas sot...

— Bien sûr que non ! Seulement, il craint quelque chose et il ne veut pas me dire quoi. Il n'a pas tort, notez bien ! Il y a, dans cette maison, un fou qui circule librement et ce qu'un fou va faire, allez le deviner !

Miss Marple regardait Pat. Elle murmura :

— Ma pauvre petite !

Pat releva la tête.

— Oh ! je n'ai pas peur. J'en ai vu d'autres.

— Vous n'avez pas toujours été heureuse, n'est-ce pas ? dit doucement Miss Marple.

— J'ai connu des jours difficiles, c'est exact. Mais j'ai eu une enfance très heureuse, en Irlande, et ça, on ne pourra jamais me l'enlever ! C'est seulement plus tard, quand j'ai été grande, que les épreuves ont commencé. Avec la guerre, en quelque sorte...

— Votre mari était pilote de chasse, je crois ?

— Oui. J'étais la femme de Don depuis un mois à peine, quand il a été abattu...

Les yeux fixés sur les flammes qui dansaient dans la cheminée, elle poursuivit :

— D'abord, j'ai cru que je ne pourrais lui survivre. C'était trop cruel, trop injuste ! Et puis, j'ai fini par me dire que c'était peut-être mieux comme ça. Don était un homme extraordinaire, un combattant merveilleux. Il possédait toutes les qualités du guerrier, et quelques autres, mais il n'était fait pour vivre que dans un monde en guerre. Il n'avait pas le sens de la discipline, il ne respectait rien, il était « contre » par principe, et je ne sais ce qu'il serait devenu en temps de paix.

Miss Marple soupira discrètement.

— Et votre second mari ?

— Freddy ? Il s'est suicidé.

— C'est horrible !

— Nous étions très heureux et il y avait déjà deux ans que nous étions mariés quand j'ai découvert que les affaires de Freddy n'étaient pas toutes... très catholiques. Ça ne changeait rien à mes sentiments pour lui, il m'aimait et je l'aimais, mais j'ai voulu savoir exactement ce qu'il en était, peut-être avec le secret espoir de le remettre dans le droit chemin. Seulement, les gens sont ce qu'ils sont et on ne les change pas !

— On ne les change pas, répéta Miss Marple, en écho.

— J'étais sa femme, continua Pat, et ne voulais pas l'abandonner, je suis restée, comme c'était mon devoir. Les choses ont été de mal en pis, il a choisi la solution la plus facile, il s'est tiré une balle de revolver dans la tête. Après sa mort, je suis allée vivre au Kenya chez des amis. L'Angleterre me faisait horreur, avec tous ces gens qui savaient la vérité et ne voulaient pas en avoir l'air. C'est au Kenya que j'ai fait la connaissance de Lancelot...

Sa voix, sur la dernière phrase, s'était faite plus douce. Il y eut un silence, puis, s'arrachant à la contemplation du foyer pour regarder Miss Marple, Pat demanda.

— Que pensez-vous au juste de Percival, Miss Marple ?

— Je le connais à peine. Je ne l'aperçois guère qu'au petit déjeuner... J'ai l'impression que ma présence ne lui cause aucun plaisir.

Pat éclata de rire.

— C'est sans doute parce qu'il est avare ! D'après Lance, il l'a toujours été. Il ne donne à Jennifer que ce qu'il ne peut pas lui refuser et il épluche les comptes de Miss Dove. Il discute les dépenses, mais elle ne se fait pas faute de le rembarrer. C'est une femme étonnante, Miss Dove ! Vous ne trouvez pas ?

— Si. Elle me rappelle Mrs Latimer, une dame de St. Mary Mead, mon village. Elle s'occupait des œuvres d'assistance, des éclaireuses, de toutes sortes de choses et elle menait tout, tambour battant. Il a fallu cinq ans pour découvrir... Mais on n'a jamais rien prouvé et il ne s'agissait peut-être que de ragots ! Je ne veux pas vous ennuyer avec ces commérages. Pardonnez-moi !

— St. Mary Mead, c'est un beau petit village ?

— Si vous parlez du site, oui ! Quant aux gens, c'est différent. Il y a du meilleur et du pire. Comme partout ! Et, comme partout, il se passe là-bas des choses... parfois bien étranges.

— Je crois que vous voyez beaucoup Miss Ramsbottom ? Moi, elle me fait peur !

— Elle vous fait peur ? Pourquoi ?

— J'ai l'impression qu'elle est folle.

— Folle ? Comment ça ?

— Folle, tout simplement. Elle reste enfermée chez elle, elle ne sort jamais, elle voit le péché partout et on me dirait qu'elle se considère comme investie d'une mission divine, comme chargée de frapper les « méchants », que ça ne me surprendrait pas !

— C'est l'opinion de votre mari ?

— Je l'ignore. Ce que je sais, c'est qu'il est convaincu qu'il y a, dans cette maison, un fou en liberté, et que ce fou est de la famille. Ce n'est pas Percival, qui a évidemment tout son bon sens, ce n'est pas Jennifer, qui n'est que stupide, et ce n'est pas non plus Elaine, qui est seulement folle d'un homme, de qui elle ne veut pas admettre qu'il l'épouse uniquement pour son argent.

— Vous croyez ça ?

— Oui. Pas vous ?

— Si. Ça ne veut d'ailleurs pas dire que leur union sera malheureuse. Les coureurs de dot ne deviennent vraiment désagréables que lorsqu'ils font un mariage d'amour. Ils s'en veulent tellement de cette erreur qu'ils ne la pardonnent pas à leur épouse !

Pat suivait son idée.

— L'assassin, dit-elle d'une voix grave, est certainement quelqu'un de la maison. C'est pourquoi, ici, on respire mal !... Les gens s'épient les uns les autres. Tout le monde attend je ne sais quoi...

— Une chose certaine, déclara Miss Marple d'un ton paisible, c'est qu'il n'y aura plus de morts. Le contraire me surprendrait fort.

— Et pourquoi donc ?

— Parce que l'assassin a ce qu'il voulait.
— Vous dites « l'assassin ». C'est un homme ?
— Que ce soit un homme ou une femme, il a ce qu'il voulait.
— Et qu'est-ce qu'il voulait donc ?
Miss Marple ne répondit pas. Elle n'était encore tout à fait sûre de rien.

CHAPITRE XXIII

1

Encore une fois Miss Somers avait fait le thé des dactylos avant que l'eau soit sur le point de bouillir ! Et Miss Griffith se dit qu'il lui faudrait se décider à parler de Somers à Mr Percival quand Lance Fortescue fit irruption dans la pièce.

Miss Griffith bondit de sa chaise pour se porter à sa rencontre.

— Monsieur Lance !

Il la regardait avec une joyeuse surprise.

— Mais c'est Miss Griffith !

Miss Griffith arborait un sourire épanoui. Il ne l'avait pas vue depuis onze ans et il n'avait pas oublié son nom !

Dans le bureau, le travail avait cessé. Miss Somers, la bouche entrouverte, contemplait Lancelot d'un air passablement ahuri. Miss Bell le guettait par-dessus le rouleau de sa machine à écrire et Miss Chase se repoudrait le museau à la dérobée. Lance jeta autour de lui un coup d'œil circulaire et dit :

— En somme, il n'y a rien de changé !

— Et vous voici rentré à Londres? s'enquit Miss Griffith.

— Vous voyez ! Et avec l'intention d'y rester !

— Vous reviendrez au bureau?

— Ce n'est pas impossible !

— Mais c'est merveilleux !

— Ne vous réjouissez pas trop vite ! Je suis rouillé, Miss Griffith. Il faudra que vous me rappreniez tout !

— J'en serai ravie.

— C'est gentil à vous.

Avec quelque embarras, Miss Griffith reprit :

— Vous savez, monsieur Lance, qu'aucune de nous n'a jamais cru...

Le reste de la phrase ne venait pas. Lance vint au secours de Miss Griffith.

— Que j'étais aussi noir qu'on voulait bien le prétendre? J'en suis bien sûr... et j'ajoute que je n'étais peut-être pas si noir que ça. Quoi qu'il en soit, c'est de l'histoire ancienne. Ce qui nous intéresse, c'est l'avenir ! Mon frère est ici?

— Il est dans son bureau, je crois.

— Bon.

Très à l'aise, Lancelot se dirigea vers une porte, qu'il poussa. Dans l'antichambre directoriale, une femme d'un certain âge, au visage revêche, se leva, derrière son minuscule bureau, pour dire d'une voix pointue à l'audacieux qui osait pénétrer dans le saint des saints

— Vous désirez, monsieur?

Lancelot, amusé, fronça le sourcil.

— Vous êtes Miss Grosvenor?

Il avait entendu parler de Miss Grosvenor comme d'une blonde capiteuse, il avait vu d'elle, dans les journaux, lors de l'enquête, des photographies flatteuses, et il savait fort bien qu'il ne s'adressait pas à Miss Grosvenor.

— Non, dit la dame, d'un ton pincé. Miss Grosvenor a cessé d'appartenir à la maison, depuis la semaine dernière. Je suis Mrs Hardcastle, secrétaire particulière de Mr Percival Fortescue.

Remplacer une jolie fille par un dragon, c'était du Percival à l'état pur. Lance ne put s'empêcher d'en faire mentalement la remarque. Économies, probablement. Tout haut, il dit.

— Je suis Lancelot Fortescue.

Mrs Hardcastle se confondait en excuses.

— Je ne pouvais pas me douter...

Il la rassura.

— Il n'y a pas de mal.

— Je n'avais jamais eu le plaisir de vous voir. C'est la première fois que vous venez ici, je crois?

— Mais ce n'est pas la dernière !

Il traversa la pièce et entra dans le vaste cabinet qui avait été celui de son père. A sa grande surprise, il vit, assis derrière le bureau, non pas son frère, mais l'inspecteur Neele, apparemment occupé à trier des papiers. Le policier leva les yeux et salua Lance d'un mouvement de tête.

— Bonjour, monsieur Fortescue ! Vous venez, j'imagine, prendre possession de vos fonctions?

— Vous êtes déjà au courant?

— C'est votre frère qui m'a renseigné.

— Il vous a paru content de pouvoir vous annoncer que j'allais travailler avec lui?

Neele s'arrangea pour ne pas sourire.

— Il était peut-être ravi, mais il n'en laissait rien voir.

— Pauvre Percy ! murmura Lance.

Neele reprit, après un court silence.

— C'est sérieux ! Vous allez travailler ici ?

— On dirait, inspecteur que ça vous paraît invraisemblable ?

— Disons seulement que cela m'étonne !

— Pourquoi ? Ne suis-je pas le fils de mon père ?

— Vous êtes aussi celui de votre mère !

Neele sourit.

— Il y a du vrai dans ce que vous dites, inspecteur ! Ma mère avait l'âme romanesque et il suffit de voir les prénoms dont nous sommes affublés pour deviner quelles étaient ses lectures favorites. Elle était impotente et vivait hors du réel. J'aurais pu être comme elle, mais il se trouve que, moi, j'ai les pieds sur la terre. Je suis un réaliste !

— On n'est pas toujours ce qu'on croit être ! objecta Neele.

— Très juste, cette remarque !

Lance s'installa confortablement dans un fauteuil, étendit ses jambes, visiblement content de lui, puis il dit.

— Vous savez, inspecteur, que vous êtes plus fin que mon frère ?

— Comment cela, monsieur Fortescue ?

— Je me suis payé sa physionomie dans les grandes largeurs. Il est convaincu que je suis résolu à m'occuper de l'affaire avec lui et bien déterminé à risquer les capitaux sociaux dans des spéculations hasardeuses. Ça m'amuserait presque de le faire ! Seulement, je ne suis pas fait pour la vie de bureau, j'ai besoin de grand air et d'espace, j'aime assez l'aventure et, ici, j'étoufferais. Bien entendu, tout cela est entre nous et vous n'irez pas, j'y compte bien, le raconter à Percy ?

— C'est un sujet que nous n'aborderons certainement pas.

— Je fais marcher Percy, histoire de me distraire un peu ! C'est mon droit. J'avais une revanche à prendre.

— Une revanche ?

— Ça remonte loin ! Ça ne vaut plus la peine d'en parler !

— Il n'était pas question d'un chèque ?... C'est à ça que vous faites allusion ?

— Vous en savez des choses, inspecteur !

— Si je suis bien informé, il n'y a pas eu de poursuites. Votre père n'a pas voulu en entendre parler.

— Non. Il s'est contenté de me ficher à la porte !

Neele ne quittait pas des yeux son interlocuteur, mais c'était surtout à Percival qu'il pensait. Par quelque bout qu'il prît l'affaire, il en revenait toujours à l'honnête, à l'intègre Percival, un homme que tout le monde croyait connaître et de qui, pourtant, la personnalité réelle demeurait mystérieuse. Était-il aussi incolore, aussi insignifiant qu'il semblait ? Avait-il été sous l'entière domination de son père, comme les apparences le donnaient à supposer ? Ces questions, Neele se les posait. Lancelot allait peut-être l'aider à y répondre.

— Votre père, reprit-il, avait la haute main sur tout ? Toutes les décisions, c'était lui qui les prenait ?

— Je me le demande.

Lance, un instant, sembla réfléchir.

— Je me le demande, répéta-t-il. Du dehors, évidemment, on ne pouvait pas avoir une autre impression. Correspondait-elle à la réalité ? C'est ce dont je ne suis pas sûr. Car je suis bien obligé de constater que chaque fois qu'il a voulu quelque chose, Percy l'a obtenu, sans avoir l'air d'y toucher. C'est stupéfiant, mais c'est comme ça !

Cette remarque, Neele l'avait déjà faite. Il fouilla dans les papiers amoncelés devant lui, à la recherche d'un document qu'il finit par trouver. C'était une lettre. Il la tendit à Lance par-dessus le bureau.

— Cette lettre, monsieur Fortescue, c'est bien vous qui l'avez écrite ?

Lance prit la feuille de papier et, après un rapide coup d'œil, la restitua au policier.

— Oui. C'est une lettre que j'ai envoyée à mon père, au mois d'août dernier, à mon retour au Kenya. A ce que je vois, il l'avait conservée. Où l'avez-vous trouvée ? Ici, dans son bureau ?

— Non, répondit l'inspecteur. Elle était dans ses papiers, Yewtree Lodge.

Neele avait étalé la lettre sur le sous-main. Il la relut, une fois encore.

Mon cher papa,

J'ai examiné ta proposition avec Pat et, finalement, je l'accepte. Il me faudra quelque temps pour liquider les affaires que j'ai ici, mais j'en aurai terminé en octobre, et au plus tard dans les premiers jours de novembre. J'espère que nous nous entendrons mieux que par le passé et, en tout cas, je ferai de mon mieux. Je ne saurais dire plus. Porte-toi bien!

Affectueusement à toi,

Lance.

— Cette lettre, reprit Neele, où la lui aviez-vous adressée? A son bureau ou à Yewtree Lodge?

Lance fronça le sourcil, essayant de se souvenir.

— Difficile à dire ! Je ne me rappelle pas. Vous comprenez, ça remonte à trois mois ! Je suis à peu près sûr que c'est à son bureau, mais je n'affirme rien.

Après un court silence, il ajouta, sans chercher à dissimuler sa curiosité :

— Ça présente un intérêt?

— Peut-être, dit Neele. Votre père avait ici des papiers personnels. Il n'a pas mis votre lettre dans le dossier et c'est à Yewtree Lodge que je l'ai trouvée, dans son secrétaire. Pourquoi l'avait-il emportée là-bas? J'aimerais le savoir.

— Pour moi, dit Lance en riant, la question ne se pose pas. Il voulait simplement que mon très cher frère ne pût mettre la main dessus.

— Parce que, d'après vous, les dossiers personnels de votre père étaient à la disposition de votre frère?

— J'en doute. Je croirais plutôt qu'il y avait des papiers qu'il était censé ne pas voir, mais qui n'avaient pour lui rien de caché parce qu'il s'arrangeait pour...

Obligeant, l'inspecteur acheva la phrase :

— ... les consulter.

Lance sourit.

— Le mot ne me venait pas. Pour les euphémismes, je n'ai jamais été très fort.

Il tourna la tête vers la porte, qui s'ouvrait, et murmura :

— Quand on parle du loup...

Percival entrait. Il ne put réprimer un mouvement de surprise quand il aperçut son frère.

— Tu es là ? dit-il. Je ne m'attendais pas à te trouver ici ! Tu ne m'avais pas prévenu.

— Je me suis senti pris d'un accès de zèle, expliqua Lance. Alors, résolu à me rendre utile, je suis venu. Que veux-tu que je fasse ?

— Pour le moment, rien ! déclara Percival. Nous verrons ensemble de quoi tu pourrais t'occuper... Et notre premier soin sera de te trouver un bureau !

— Au fait, pourquoi as-tu balancé la ravissante Miss Grosvenor pour la remplacer par l'espèce de dragon à figure de cheval qui défend l'accès de ta porte ? Elle en savait trop, la belle Grosvenor ?

Percival haussa les épaules.

— Ce que tu peux être bête !

Se tournant vers l'inspecteur, il ajouta :

— Il ne faut pas faire attention à ce que dit mon frère. Il a un sens de l'humour très particulier. Miss Grosvenor avait un certain charme, mais je ne l'ai, pour ma part, jamais trouvée très intelligente. Mrs Hardcastle a d'excellentes références et ses prétentions ne sont pas excessives.

Lance leva les yeux au plafond.

— Ses prétentions ne sont pas excessives ! Crois-tu donc, mon vieux Percy, qu'il soit tellement nécessaire de réduire les salaires du personnel ? A mon avis, nous devrions plutôt les augmenter. Nous venons de vivre des semaines tragiques et les employés se sont montrés très bien. Tu ne trouves pas ?

— Ils ne réclament rien, répliqua Percival d'une voix cinglante. Et, dans la situation actuelle de la maison, notre premier devoir est d'éviter le gaspillage !

Après avoir toussoté discrètement à seule fin de

rappeler sa présence, l'inspecteur Neele intervint dans la conversation.

— A ce propos, dit-il, s'adressant à Percival, il y a, monsieur Fortescue, une question que je voudrais vous poser...

Percival se tourna vers le policier.

— Je vous écoute.

— Si je suis bien renseigné, le comportement de votre père depuis quelques mois, on peut même dire depuis un an, n'était pas sans vous donner quelques soucis ?

— C'est exact, dit Percival. Sa santé n'était pas brillante.

Neele insista.

— Vous lui avez conseillé de voir un médecin. Il a refusé, et de la façon la plus catégorique.

— C'est vrai.

— Puis-je vous demander s'il ne vous est jamais venu à l'idée qu'il présentait les premiers symptômes d'une paralysie générale, une des rares maladies qui puissent être considérées comme rigoureusement incurables ?

— C'est exactement ce que je craignais, inspecteur, et c'est bien pourquoi je tenais tant à ce qu'il consultât un spécialiste.

— Vous avez vainement essayé de le convaincre. Il n'a rien voulu entendre... et il a continué à prendre allégrement des décisions très préjudiciables à la firme. C'est bien exact ?

— Hélas, oui ! dit simplement Percival.

— Donc, reprit Neele d'une voix douce, on peut dire que, d'un certain point de vue, la mort de votre père est plutôt, pour la maison, une circonstance heureuse ?

— J'espère, lança Percival d'un ton sec, que

vous n'attendez pas de moi que je réponde oui?

— Il ne s'agit pas de ce que vous allez me répondre, répliqua l'inspecteur avec bonne humeur. Nous parlons faits, et non sentiments. Je me borne à signaler que votre père est mort avant d'avoir eu le temps de mettre la maison en faillite. Est-ce la vérité, oui ou non?

— C'est la vérité !

— D'où il suit, reprit Neele, qu'il est, pour toute la famille, heureux qu'il soit mort, puisque c'est de la maison qu'elle tire toutes ses ressources.

Percival se sentait gagné par une exaspération qu'il avait peine à contenir.

— Je vous l'accorde, dit-il avec impatience. Mais je ne vois pas où vous voulez en venir !

— Je ne veux en venir nulle part, déclara Neele, de la même voix paisible. Je m'efforce simplement de préciser des faits. Passons à autre chose ! Vous m'avez dit que vous n'aviez eu aucun rapport avec votre frère depuis plusieurs années, très exactement depuis qu'il quitta l'Angleterre. Je ne me trompe pas?

— Je vous l'ai dit et c'est la vérité.

— En êtes-vous sûr, monsieur Fortescue? N'avez-vous pas, au printemps dernier, écrit à votre frère, pour lui faire part de vos inquiétudes quant à la santé de votre père, et à son comportement? Vous désiriez, je crois, obtenir l'accord de votre frère pour obliger votre père à se soumettre à un examen médical, qui pouvait avoir pour effet de le faire interner, si cette mesure apparaissait comme nécessaire.

Très mal à l'aise, Percival rougit. Il balbutia :

— Je... Je ne vois pas...

— Est-ce exact, monsieur Fortescue?

— En soi, le fait est exact. J'ai cru de mon devoir de consulter mon frère. Il était loin de Londres, mais n'en conservait pas moins des intérêts dans l'affaire.

Neele se tourna vers Lancelot.

— Cette lettre, vous l'avez reçue ?

Lancelot Fortescue répondit d'un signe de tête affirmatif.

— Et qu'avez-vous répondu ?

Un large sourire s'épanouit sur le visage de Lance.

— J'ai dit à Percy qu'il aille au diable et qu'il fiche la paix au paternel, lequel savait très probablement ce qu'il faisait.

Neele revint à Percival.

— C'est exact, monsieur Fortescue ?

— Sur le fond, oui. Les termes étaient plus... rudes.

— Je le sais, dit Lance, mais j'ai voulu ménager les oreilles de l'inspecteur.

S'adressant à Neele, il poursuivit :

— Cette lettre de Percy, c'est un peu elle qui m'a décidé à venir en Angleterre quand le *pater* m'a écrit. Je voulais voir moi-même sur place ce qu'il en était. Je n'ai eu avec mon père qu'un court entretien, mais il a suffi pour me convaincre qu'il était en parfaite santé. Un peu irritable, peut-être, mais tout à fait capable de s'occuper lui-même de ses affaires. C'est pourquoi, après être retourné en Afrique afin d'y consulter ma femme, j'ai décidé de rentrer en Angleterre pour être sûr que le vieux ne serait pas... possédé.

Son regard ne quittait pas Percival, qui protesta avec énergie.

— C'est là, déclara-t-il, une insinuation calomnieuse que je n'admets pas ! Jamais je n'ai eu l'intention de dépouiller mon père de son affaire. J'étais inquiet de sa santé, inquiet aussi, je le reconnais, de...

Il hésitait.

— De ce que ses décisions pouvaient coûter à ton portefeuille. N'insiste pas, on a compris !

Se levant, Lance poursuivit, sur un tout autre ton :

— Ne te fatigue pas, Percy, tu as gagné et je te cède la place ! Je me suis amusé un peu à tes dépens, en te faisant croire que j'étais décidé à rester à Londres, et il est bien possible qu'un instant j'aie eu sincèrement l'intention de m'intéresser aux affaires de la firme, simplement pour t'empêcher de les diriger comme tu l'entends. J'y renonce. Quand je suis dans la même pièce que toi, je respire mal. Tu as toujours été une sale petite ordure et je t'ai toujours connu fouineur, menteur et moche ! Je ne peux pas le prouver, mais je suis convaincu que ce faux chèque qui m'a valu tant d'ennuis, à commencer par ce que je pourrais appeler mon exil, c'est toi qui l'as fabriqué. Le faux était grossier, il proclamait qu'il était un faux aussitôt qu'on jetait l'œil sur lui. Malheureusement, j'avais fait des bêtises et on n'a pas voulu m'entendre. Malgré ça, je me suis souvent demandé si le paternel, au fond de son cœur, n'était pas, à la fin, persuadé de mon innocence. Il devait se douter que si j'avais imité sa signature, moi *je l'aurais imitée mieux que ça!*

Haussant le ton, il continua :

— Tout ça pour te dire que j'ai assez ri ! J'en ai marre de ce pays, marre de Londres et des petits bonshommes qu'on rencontre dans le secteur, empêtrés dans leurs minables petites combines de minables ! Tu me donneras ma part, comme nous en sommes convenus, et je m'en irai avec Pat vers des régions plus sympathiques, des endroits où il y a de l'air pur pour se gonfler les poumons et de l'espace pour se mouvoir ! Le partage, tu le feras toi-même. Tu t'attribueras les valeurs de père de famille, les bons titres d'État, qui rapportent deux ou trois pour cent, et tu me colleras les autres, les valeurs spéculatives, comme tu dis. La plupart, j'imagine, ne valent guère que le prix du papier, mais, dans le lot, il s'en trouve peut-être quelques-unes qui sont meilleures que tu ne penses. Le *pater* n'était pas un idiot. Il prenait des risques, mais il avait du flair... et c'est là-dessus que je joue ! Quant à toi, pauvre petit vermisseau, je ne sais ce qui me retient...

Il marchait sur son frère, qui, prudemment, battit en retraite, derrière le bureau. Lancelot s'immobilisa.

— Rassure-toi ! Je ne te toucherai pas. Tu voulais que je m'en aille, je m'en vais. Tu es content ?

Allant vers la porte, il ajouta :

— Tu peux, si ça te chante, me filer les actions de la Mine des Merles ! Si les MacKenzie ont décidé d'exterminer les Fortescue, je les entraînerai en Afrique. Qu'ils pensent à se venger, après tant d'années, c'est incroyable, j'en suis d'accord ! Mais ce n'est pas l'avis de tout le monde, n'est-ce pas, inspecteur ?

Percival eut un haussement d'épaules.

— Tu ne le crois pas ? reprit Lancelot. Demande à l'inspecteur pourquoi les merles l'intéressent tant depuis quelques semaines.

— Ça ne tient pas debout ! lança Percival. Il y a

des années que personne n'a entendu parler des MacKenzie !

— Vraiment ? dit Lance, la main sur le bouton de la porte. Je suis pourtant persuadé qu'il y a un ou une MacKenzie dans le secteur. Et l'inspecteur pense comme moi, j'en suis bien sûr !

2

L'inspecteur Neele rejoignit Lancelot Fortescue sur le trottoir.

— Cette sortie, lui dit Lance, un peu honteux, je n'avais pas médité de la faire. Mais, brusquement, j'ai perdu mon calme. Je ne regrette rien, d'ailleurs. Ça devait arriver, un jour ou l'autre. J'ai rendez-vous avec Pat au Savoy. Vous m'accompagnez ?

— Non, je retourne à Baydon Heath. Je voulais vous demander une petite chose, monsieur Fortescue.

— Quoi donc ?

— Quand vous êtes entré dans le bureau, vous avez été surpris de me voir. Pourquoi ?

— Pourquoi ? Mais parce que je ne m'attendais pas à vous trouver là. Je pensais y rencontrer Percy.

— On ne vous avait pas dit qu'il était sorti ?

— Non. On m'avait dit qu'il devait être là.

— Curieux. Il n'y a qu'une porte dans le bureau, mais, dans l'antichambre, il y a une porte qui ouvre sur le corridor. Je suppose que votre frère a dû sortir par là. Ce qui m'étonne, c'est que Mrs Hardcastle ne vous l'ait pas dit.

— Elle était peut-être allée chez les dactylos pour chercher son thé.

— Peut-être... Ce doit être ça !

— A quoi songez-vous ? lui demanda Lance.

— A de petites choses qui m'intriguent, monsieur Fortescue. Des riens, mais intéressants quand même...

CHAPITRE XXIV

1

Dans le train qui le ramenait à Baydon Heath, l'inspecteur Neele abandonna très vite les mots croisés du *Times*. Comme il n'arrivait pas à fixer son attention, il lut les nouvelles : tremblement de terre au Japon, découverte d'un gisement d'uranium au Tanganyika, un cadavre sur la plage de Southampton ; une grève des dockers. Rien de tout cela ne l'intéressa, il reprit ses mots croisés, sans plus de succès.

A la descente du train sa décision était prise. Dès son arrivée à Yewtree Lodge, il fit appeler le sergent Hay.

— La vieille demoiselle est toujours ici?

— Miss Marple, monsieur? Toujours.

— J'aimerais la voir.

— Bien monsieur.

Quelques minutes plus tard, Miss Marple venait rejoindre l'inspecteur dans la bibliothèque. Elle avait les joues roses et paraissait essoufflée.

— Vous voulez me voir, inspecteur? J'espère que je ne vous ai pas fait attendre?... Le sergent

Hay ne m'a pas trouvée tout de suite. J'étais à la cuisine, en train de bavarder avec Mrs Crump. Je lui faisais compliment de sa pâtisserie. Son soufflé d'hier soir était délicieux et, à mon avis, c'est en parlant aux gens des choses qui les intéressent qu'on les amène à parler de celles qui vous intéressent, vous. Évidemment, pour vous, c'est plus difficile. Vous êtes plus ou moins obligé d'en venir rapidement aux questions que vous voulez poser. Avec une vieille demoiselle comme moi, c'est différent ! J'ai tout mon temps... et, pour gagner le cœur d'une cuisinière, on ne peut mieux faire que lui dire qu'elle réussit merveilleusement les gâteaux. Surtout lorsque c'est la vérité !

— J'imagine que c'est surtout de Gladys Martin que vous désiriez parler avec Mrs Crump ?

— Naturellement.

— Elle vous a dit des choses intéressantes ?

— Oui. Non pas sur la façon dont la pauvre enfant est morte, mais sur les propos qu'elle tenait en ces derniers temps. Très sincèrement, j'ai l'impression qu'on commence à y voir clair dans toute cette histoire. C'est bien votre avis ?

— Oui et non, dit Neele.

Le sergent Hay s'était retiré. Neele le constata avec satisfaction. Parce que ce qu'il allait faire n'avait rien d'orthodoxe, pour ne pas dire plus.

— Miss Marple, déclara-t-il, je voudrais avoir avec vous une conversation sérieuse.

— Je vous écoute, inspecteur.

— Vous et moi, nous représentons des points de vue différents. Je ne vous cacherai pas, Miss Marple, que j'ai beaucoup entendu parler de vous, au Yard. Vous êtes là-bas assez connue...

Miss Marple était devenue cramoisie.

— Je ne sais pas comment cela se fait, dit-elle, mais il se trouve que je suis très souvent mêlée à des affaires criminelles, dont j'avoue qu'à vrai dire elles ne me regardent nullement.

— Votre réputation est solidement établie.

— Évidemment, sir Henry Clithering est un très vieil ami à moi...

— Bref, reprit Neele, comme je le disais à l'instant, nous représentons, vous et moi, des points de vue fort différents celui de la simple logique et l'autre.

Miss Marple inclina la tête légèrement sur le côté.

— Je ne comprends pas très bien, inspecteur.

— Je m'explique. Il y a une façon logique, normale, de voir les choses. Le premier meurtre profite à quelqu'un, à une certaine personne plus particulièrement. Le second profite à la même personne. Quant au troisième, on pourrait dire qu'il n'est qu'un meurtre « de sécurité ».

— Mais, d'après vous, quel est-il, ce troisième meurtre ?

L'inspecteur fut frappé de la lueur malicieuse qui passa dans le regard limpide de la vieille demoiselle.

— Je me suis posé la question, répondit-il. L'autre jour, tandis que l'Assistant Commissioner me parlait, j'ai eu l'impression qu'il y avait quelque chose qui ne « collait » pas. C'était cela ! Je pensais à la fameuse chanson enfantine : le roi dans sa trésorerie, la reine chez elle et la servante qui pendait le linge...

— C'est bien l'ordre dans la chanson, mais, en fait, l'assassinat de Gladys a dû *précéder* celui de Mrs Fortescue, et non le suivre. C'est votre avis ?

— Pour moi, dit Neele, c'est une certitude. Le

corps de Gladys n'a été découvert que tard dans la soirée et il était bien difficile, sur le moment, de déterminer l'heure à laquelle remontait le décès, mais je crois qu'on peut maintenant affirmer qu'elle a été tuée vers cinq heures. Sinon...

Ce fut Miss Marple qui acheva la phrase.

— Sinon, elle aurait très certainement porté le second plateau dans la bibliothèque.

— Exactement. Elle avait porté le premier. Elle arrivait dans le vestibule, avec le deuxième, quand *quelque chose s'est produit*. Elle a vu quelque chose ou a entendu quelque chose. Quoi? C'était *peut-être Dubois*, descendant du premier étage, où il était allé dans la chambre de Mrs Fortescue. C'était *peut-être Gerald Wright*, le fiancé d'Elaine Fortescue, entrant par la petite porte. Et c'était *peut-être quelqu'un d'autre!* En tout cas, ce quelqu'un l'a attirée dans le jardin. Elle a posé son plateau et elle l'a suivi. Dès lors, sa mort n'était plus qu'une question de minutes...

Miss Marple déclara qu'elle voyait les choses exactement comme l'inspecteur.

— Il est bien sûr, ajouta-t-elle, qu'elle n'était pas, comme dans la chanson, en train de pendre le linge dans le jardin. On ne pend pas le linge à cinq heures du soir et, si elle était allée décrocher du linge, elle aurait passé un manteau, car il faisait froid. En réalité, on a simplement tout arrangé, et je pense également au cintre à vêtements, pour qu'il y ait une certaine concordance entre la chanson et les faits.

— C'est là-dessus, dit Neele, que je ne puis être tout à fait d'accord avec vous. Cette chanson enfantine, que voulez-vous, moi, je ne peux pas l'avaler !

— Pourtant, tout « colle », vous l'avez dit vous-même !

Neele secoua la tête.

— Tout « colle », mais pas dans l'ordre. D'après la chanson, la servante aurait dû être tuée la dernière. Or, nous savons qu'elle est morte avant la reine. Adèle Fortescue a rendu le dernier soupir entre... disons, cinq heures vingt-cinq et six heures moins cinq. A ce moment-là, Gladys était déjà morte.

— D'où il suit qu'il n'y a pas à se préoccuper de la chanson.

Neele haussa les épaules.

— Je suis probablement en train de couper les cheveux en quatre. Les trois morts correspondent bien aux personnages de la chanson et *on* n'en demandait sans doute pas plus. C'est comme cela, Miss Marple, que vous voyez les choses. Je vais vous dire maintenant comment, *moi*, je les vois ! Je commence par balayer les merles, la poignée de seigle et tout le reste, pour m'en tenir aux faits, au simple bon sens et aux mobiles ordinaires des criminels, quand ceux-ci n'ont pas le cerveau dérangé. Je me demande donc, avant tout, *à qui profite le meurtre de Rex Fortescue*. Réponse : à différentes personnes, mais surtout à son fils Percival. Mais celui-ci n'était pas à Yewtree Lodge le jour du crime. J'en avais conclu qu'il n'avait pu droguer les aliments qui ont empoisonné son père.

— Une opinion sur laquelle vous êtes revenu?

— Oui. La taxine se trouvait sur le dessus d'une boîte de confiture et c'est avec la confiture que Mr Fortescue l'a absorbée. La boîte a été jetée par la suite et remplacée à l'office, par une autre toute semblable de laquelle on avait retiré une quantité de confiture sensiblement égale à celle qui manquait dans la première. Celle dont on s'était débarrassé a été retrouvée et j'ai fait analyser le contenu. Il n'y a aucun doute sur la nature du poison. C'était bien de la taxine.

L'inspecteur marqua une courte pause, puis reprit :

— Les affaires de Rex Fortescue allaient assez mal. Si, conformément aux dispositions du testament de son époux, Adèle Fortescue avait dû recevoir de la firme cent mille livres sterling, la faillite eût été, je pense, inévitable. Cette somme, si Mrs Fortescue avait survécu un mois à son mari, *il aurait pourtant fallu la lui payer*. La maison ne l'intéressait pas et elle se moquait éperdument de ses destinées. Mais elle a rapidement suivi Rex Fortescue dans la mort et le grand bénéficiaire de son décès se trouve être Percival Fortescue, que nous retrouvons une nouvelle fois. Seulement, si l'on peut admettre que c'est lui qui a drogué la confiture, il est impossible de penser qu'il a empoisonné sa belle-mère et étranglé Gladys. D'après sa secrétaire, cet après-midi-là, il est resté à son bureau jusqu'à cinq heures du soir, et nous savons qu'il n'est rentré à Yewtree Lodge que vers sept heures.

— Ce qui complique terriblement le problème, n'est-ce pas ?

— Aucun doute, *l'hypothèse ne tient pas!*

Visiblement, à en juger par l'amertume du ton, l'aveu coûtait à l'inspecteur.

— Par quelque côté que je prenne l'affaire, poursuivit-il, j'arrive toujours au même coupable : Percival Fortescue. *Or, il ne peut pas être l'assassin!* Je sais, il y a d'autres possibilités, d'autres gens qui pouvaient, eux aussi, avoir un mobile...

— Vous pensez à Mr Dubois et au jeune Gerald Wright ? dit Miss Marple. Ils sont suspects. Dès qu'on bénéficie de la mort de quelqu'un, on est suspect. L'enquêteur ne doit faire confiance à personne.

Malgré lui, Neele sourit, tant cette déclaration de principe était inattendue dans la bouche d'une vieille demoiselle, toute gentillesse et fragilité.

— Il faut toujours supposer le pire ?

— Toujours ! s'écria Miss Marple avec conviction. Moi, c'est ce que je fais. Et ce qui me navre, c'est de constater que j'ai presque toujours raison de me méfier de tout le monde !

— Alors, supposons le pire ! dit Neele. Dubois peut être coupable, et Gerald Wright aussi, avec la complicité d'Elaine Fortescue, qui aurait mélangé le poison à la confiture. Mrs Percival pourrait, elle aussi, être suspecte. Elle était là. Seulement, aucun de ces coupables possibles n'est fou... et on ne s'explique pas la chanson ! Or, cette chanson, vous estimez, *vous*, qu'il faut en tenir compte. Si vous voyez juste, il faut chercher l'assassin ailleurs et il en est un tout indiqué : cette Mrs MacKenzie, qui souffre de troubles mentaux et qui vit dans une maison de santé depuis des années. Elle n'a pu agir elle-même, évidemment. Son fils, Donald, a été tué à Dunkerque. Reste sa fille, Ruby. Si votre hypothèse est fondée, s'il existe une relation entre les trois crimes et cette vieille histoire de la Mine des Merles, Ruby MacKenzie doit être dans la maison et il n'est qu'une personne qui puisse être Ruby MacKenzie.

— Je crois que vous êtes trop affirmatif, dit Miss Marple.

L'inspecteur semblait n'avoir pas entendu.

Il se leva et sortit de la bibliothèque.

2

Mary Dove était dans le boudoir, attenant à sa chambre à coucher, une petite pièce à l'ameublement assez sévère, mais qu'elle avait su rendre aimable et confortable. Quand on frappa à la porte, elle leva la tête des livres de compte qu'elle examinait et dit, d'une voix claire :

— Entrez !

Elle ne marqua aucune surprise de voir apparaître l'inspecteur Neele. Lui montrant un siège du geste, elle l'invita à s'asseoir, ajoutant :

— Accordez-moi un instant, voulez-vous ? Il me semble que le poissonnier est brouillé avec les chiffres. Le temps de vérifier son addition et je suis à vous !

Neele attendit. Il regardait la jeune femme, admirant son calme et sa maîtrise de soi. Il scruta son visage, espérant y découvrir une ressemblance avec celui de la demi-folle à qui il avait rendu visite au Pinewood Sanatorium. Le teint était peut-être le même, mais les traits différaient.

Mary Dove posa son crayon et se tourna vers Neele.

— La suite sera pour plus tard ! dit-elle. En quoi puis-je vous être utile, inspecteur ?

— Vous n'ignorez pas, Miss Dove, répondit-il d'un ton posé, que l'affaire qui m'occupe présente certains aspects assez singuliers.

— Vraiment ?

— Il y a d'abord, cette poignée de seigle trouvée dans la poche de Mr Fortescue.

— J'avoue que c'est très extraordinaire, et, pour moi, rigoureusement inexplicable.

— Ensuite, il y a les merles, les quatre qui ont

été posés sur le bureau de Mr Fortescue, l'été dernier, et les autres, ceux qui ont été substitués à la viande de certain pâté en croûte. Vous êtes au courant ?

— Oui. J'étais déjà à Yewtree Lodge à l'époque. Mais je n'ai aucune opinion sur ces plaisanteries ridicules et sans objet.

— Sans objet, ce n'est pas sûr. Que savez-vous de la Mine des Merles, Miss Dove ?

— Je crois bien que je n'ai jamais entendu parler d'elle.

— Vous m'avez dit vous appeler Mary Dove. C'est votre nom véritable ?

Mary Dove haussa les sourcils et l'inspecteur eut l'impression qu'une ombre passait sur son beau visage.

— Voilà une question bien étrange ! Prétendriez-vous insinuer, inspecteur, que je ne m'appelle pas Mary Dove ?

— Tout juste ! répondit Neele avec bonne humeur. Je crois que vous vous appelez Ruby MacKenzie.

Elle le regarda un instant, sans rien dire. Son expression n'exprimait rien : ni surprise, ni indignation.

— Que voulez-vous que je vous dise ? demanda-t-elle enfin, d'une voix calme, mais blanche.

— Répondez-moi ! Vous appelez-vous Ruby MacKenzie ?

— Je vous ai dit que je m'appelais Mary Dove.

— Vous pouvez le prouver ?

— Vous voulez voir mon extrait de naissance ?

— Il ne m'intéresse pas tellement. Vous pouvez parfaitement détenir l'extrait de naissance d'*une*

Mary Dove, qui peut-être une amie à vous... ou même une morte !

— Les hypothèses sont nombreuses...

Il y avait, dans la voix de Mary, un soupçon d'ironie amusée. Elle ajouta :

— Cruelle énigme, n'est-ce pas ?

Il dit, posément :

— On vous reconnaîtrait peut-être au Pinewood Sanatorium.

— Qu'est-ce que le Pinewood Sanatorium ?

— J'ai idée que vous le savez très bien.

— Je vous certifie le contraire !

— Et vous niez formellement être Ruby MacKenzie ?

— Je ne nie *rien du tout*, inspecteur. J'imagine que vous connaissez suffisamment votre métier pour savoir que *c'est à vous de prouver* que je suis cette Ruby MacKenzie, de qui je ne sais rien.

D'un air de défi, posant le beau regard de ses yeux clairs dans celui du policier, elle conclut :

— C'est comme ça, inspecteur. Je suis Mary Dove. Prouvez que je suis Ruby MacKenzie, si vous en êtes capable !

CHAPITRE XXV

1

Descendant l'escalier, Neele rencontra le sergent Hay qui, avec des airs de conspirateur, l'informa que Miss Marple était à sa recherche.

— Il paraît qu'elle a un tas de choses à vous dire.

— Enfer et damnation ! murmura Neele.

— Oui, monsieur ! dit le sergent, imperturbable.

Neele descendit les dernières marches, son subordonné derrière lui.

— Hay, lui dit-il, vous allez revoir les notes qui nous ont été communiquées concernant Mary Dove. Procédez aux vérifications qui vous paraîtront nécessaires, notamment auprès de ses anciens employeurs. Il y a, d'autre part, deux ou trois petites choses que j'aimerais savoir. Je vous écris ça...

Il traça quelques lignes sur une feuille de papier, qu'il remit au sergent.

— Voyez à ce qu'on s'en occupe rapidement.

— Bien, monsieur.

Neele fit quelques pas dans le vestibule et s'arrêta devant la porte ouverte de la bibliothèque. On parlait dans la pièce. Que Miss Marple l'eût cherché, c'était fort possible. En tout cas, pour le moment, tout en tricotant furieusement, elle était en grande conversation avec Mrs Percival Fortescue. Il l'entendit qui disait :

— J'ai toujours pensé que, pour être infirmière, il fallait avoir la vocation. C'est un bien beau métier !

L'inspecteur s'éloigna sans bruit. Il lui semblait que Miss Marple l'avait fort bien aperçu, mais elle n'en avait rien laissé voir.

De sa petite voix douce, elle continuait :

— Quand je me suis cassé le poignet, j'ai été soignée par une infirmière charmante, qui devait d'ailleurs se marier, peu après, avec un de ses malades, le fils Sparrow, un tout jeune officier de marine et un bien beau garçon ! Un véritable roman d'amour. Ils sont très heureux et ils ont déjà deux ravissants bambins...

Avec un soupir, elle ajouta :

— Il avait une pneumonie. Une de ces maladies dont l'évolution dépend beaucoup des soins qu'on reçoit.

— C'est très vrai, dit Jennifer Fortescue. Les nouveaux traitements font des merveilles, mais, il y a quelques années encore, c'était une longue et dure bataille, et la victoire dépendait beaucoup de l'infirmière !

— Vous deviez être une très bonne infirmière, dit Miss Marple. Au surplus, votre roman à vous aussi, c'est un peu comme cela qu'il a commencé. je crois ?

— Oui.

La réponse était brève et le ton peu encourageant, mais Miss Marple ne parut pas s'en apercevoir.

— Avant vous, il avait eu une autre infirmière, n'est-ce pas? Je ne sais plus qui m'a raconté ça. Il ne faut pas m'en vouloir, j'adore bavarder avec les uns et les autres. C'est le défaut des vieilles dames ! Finalement, elle avait été renvoyée. A cause de sa négligence, je crois bien...

— Il ne me semble pas, dit Jennifer. Son père était au plus mal et on m'a appelée pour la remplacer.

— Et, quelques jours plus tard, vous tombiez amoureuse de votre malade et un beau roman s'amorçait. Je trouve ça charmant !

— Oui.

Jennifer Fortescue ne paraissait pas convaincue. D'une voix qui tremblait, elle ajouta :

— Quelquefois, je voudrais reprendre ma blouse et me retrouver dans une salle d'hôpital.

— Je vous comprends. Vous aimiez votre métier...

— A l'époque, pas tellement. Mais ma vie est si monotone ! Les jours passent, je n'ai rien à faire du matin au soir et mon mari n'est jamais là !

— Les temps sont difficiles et les messieurs n'ont plus de loisirs, même quand ils ont de l'argent.

Jennifer poussa un profond soupir.

— Ah ! je voudrais bien n'être jamais venue ici !... C'est bien fait pour moi ! Je n'aurais jamais dû faire ça !

— Faire quoi, ma chère?

— Épouser Val, pardi !... Parlons d'autre chose, voulez-vous?

Miss Marple y consentit volontiers et mit la conversation sur les dernières nouveautés de la mode parisienne.

2

Miss Marple retrouva l'inspecteur Neele quelques instants plus tard. Elle commença par le remercier de n'avoir pas interrompu sa conversation avec Jennifer Fortescue.

— J'avais encore, expliqua-t-elle, deux ou trois petits points à vérifier.

D'un ton de reproche, elle ajouta :

— Mais notre entretien, à vous et à moi, n'était pas terminé.

Neele s'excusa, avec un sourire.

— Je me suis très mal conduit, Miss Marple. Je vous ai fait demander pour avoir une conversation avec vous et j'ai parlé tout le temps !

— Ça n'a aucune importance ! répondit la vieille demoiselle. Parce que, moi, je ne pouvais pas encore étaler toutes mes cartes sur la table. Avant d'accuser, *je voulais être sûre*. Maintenant, *ma conviction est faite*. Je suis sûre.

— Sûre de quoi ? Miss Marple ?

— Sûre de connaître l'assassin de Mr Fortescue, par exemple. Après ce que vous m'avez dit au sujet de la confiture, il n'y a plus de doute. Je sais non seulement comment on a tué, mais aussi qui a tué. A la vérité, inspecteur, il faudrait que vous m'accordiez un bon moment pour que je vous explique mon point de vue sur l'affaire. J'ai parlé longuement avec un tas de gens, aussi bien avec Miss Ramsbottom qu'avec Mrs Crump et avec son époux. Lui, bien sûr, c'est un menteur, mais ça ne fait rien, parce que, quand on sait qu'un menteur est un menteur, c'est comme si on n'avait pas affaire à un menteur. De toute façon, il fallait bien se renseigner sur les coups de téléphone, les bas de nylon, et tout le reste !

L'inspecteur fronçait le sourcil, vaguement inquiet. Il se demandait où il avait bien pu prendre l'idée que Miss Marple était un esprit clair, un détective-amateur capable de rendre des services dans une enquête sérieuse. Il lui semblait, au contraire, qu'elle brouillait tout. Malgré cela, il était possible qu'elle eût recueilli, ici ou là, quelque renseignement intéressant. Il fallait donc l'écouter. Résolu à se montrer patient, il dit :

— Eh bien, Miss Marple, racontez-moi tout ! Mais en commençant par le commencement.

— Bien entendu. Le commencement, c'est Gladys, parce que c'est à cause d'elle que je suis venue ici. Vous m'avez très gentiment donné l'autorisation d'examiner ses affaires. C'est ce qui m'a permis, avec les bas nylon, les coups de téléphone et différentes petites choses, de voir clair dans l'histoire. Je parle de Mr Fortescue et de la taxine.

— Vous avez une théorie sur l'empoisonnement de Mr Fortescue? demanda Neele.

Miss Marple protesta.

— Ce n'est pas une théorie ! Je connais l'assassin !

L'inspecteur réprima malaisément un geste d'agacement.

— Vous connaissez l'assassin? Et qui est-ce?

— Mais Gladys, bien sûr !

CHAPITRE XXVI

L'inspecteur Neele regarda Miss Marple avec stupéfaction, puis lentement il hocha la tête.

— Vous prétendez, dit-il, que Gladys Martin a délibérément assassiné Rex Fortescue ? Je regrette, Miss Marple, mais je n'en crois rien !

Miss Marple protesta.

— Je ne vous dis pas qu'elle a eu *l'intention* de le tuer, mais il n'en reste pas moins que c'est elle qui l'a tué. Vous m'avez dit vous-même que, lorsque vous l'avez interrogée, elle vous avait semblé nerveuse, inquiète. Vous m'avez même dit qu'elle avait l'air coupable.

— Oui, mais pas coupable d'un *meurtre!*

— Je vous répète qu'elle n'a jamais voulu tuer personne. Elle a mis de la taxine dans la confiture, mais elle ne pensait pas que c'était du poison.

— Et que croyait-elle donc que c'était ? demanda Neele, incrédule.

— Probablement, répondit Miss Marple, ce qu'on pourrait appeler une « drogue de vérité ». C'est très instructif, vous savez, les articles que ces filles découpent dans les journaux pour les conserver. Comme leurs grand-mères et leurs arrière-grand-mères le firent avant elles, elles cherchent les recettes de beauté et les philtres d'amour, mais elles ne croient plus à la magie et aux sorcières qui vous changeaient en grenouille en un tournemain. Seulement, elles croient à la science. Qu'elles lisent dans le journal qu'on peut, en lui greffant des glandes ou en lui injectant je ne sais quelle substance, transformer un homme en gorille ou en crapaud, elles ne douteront pas que ce ne soit vrai ! Gladys avait lu des articles sur les sérums « de vérité ». Et elle ne demandait qu'à croire ce jeune homme !

Neele fronça le sourcil.

— De quel jeune homme parlez-vous ?

— D'Albert Evans ; mais ce n'est pas son vrai nom. Elle le rencontra dans un camp de vacances l'été dernier, comme elle l'a dit il lui fit la cour et lui promit le mariage. Il a dû ensuite lui raconter qu'un certain Mr Fortescue l'avait dépouillé d'une grosse somme d'argent au moyen d'une injustice. Si l'on parvenait à faire avouer à cet homme sa mauvaise action, il serait obligé de restituer ce qu'il avait accaparé. Gladys, si crédule, en fut persuadée. Albert lui suggéra que, les domestiques étant rares, il lui serait facile de se faire engager à Yewtree Lodge. Une fois en place il lui donnerait les instructions afin qu'elle l'aide à obtenir satisfaction. Ensuite ils seraient riches et se marieraient.

Tout cela est suppositions de ma part, mais je suis presque sûre de ne pas me tromper. Souvenez-vous de la carte postale : « N'oublie pas notre rendez-vous, souviens-toi qu'après nous aurons la belle vie. Je te fais confiance... ». Il parlait du jour où elle devait servir au breakfast la confiture contenant la « drogue de vérité » qu'il lui avait procurée, et mettre quelques grains de seigle dans la poche de Rex Fortescue. Quelle histoire avait-il inventée à propos du seigle ?

Je l'ignore, mais Gladys croyait n'importe quoi, surtout quand c'était un beau jeune homme qui le disait.

Neele écoutait, médusé.

— Continuez ! dit-il.

— Pour moi, poursuivit la vieille demoiselle, Albert lui avait probablement raconté que, ce jour-là, il irait trouver à son bureau Rex Fortescue, lequel, sous l'influence de la drogue, ferait une confession complète, *et cœtera, et cœtera*. Vous imaginez les sentiments de la pauvre fille quand elle apprit la mort de Mr Fortescue !

— Mais, objecta l'inspecteur, pourquoi n'a-t-elle pas parlé ?

La réplique de Miss Marple ne se fit pas attendre.

— Quelle est la première chose qu'elle a dite, quand vous l'avez interrogée ?

— Elle m'a dit : « Ce n'est pas moi ! »

— Vous voyez bien ! s'écria Miss Marple, sur le ton du triomphe. Chez moi, quand elle avait cassé quelque chose, c'était ce qu'elle disait tout de suite ! « Ce n'est pas moi, Miss Marple ! Je ne sais pas comment c'est arrivé ! »... Il faut se mettre à la place de ces enfants. Elles sont désolées de leur maladresse et elles voudraient tant échapper à la réprimande ! Elle vous a dit : « Ce n'est pas moi ! » Que pouvait-elle dire d'autre ? Elle tue quelqu'un, sans avoir eu l'intention de le tuer. Vous ne pensez tout de même pas qu'elle n'aura rien de plus pressé que de vous le dire ?

— Non, bien sûr.

Neele se reporta alors à la conversation qu'il

avait eue avec Gladys, pendant laquelle sa nervosité et son attitude lui donnèrent l'impression qu'elle était coupable. Il se reprocha d'avoir conclu qu'il ne devait s'agir que de petites fautes commises dans son service, au lieu de soupçonner la vérité.

— Pour commencer, donc, reprit Miss Marple, elle a tout nié. Une réaction toute naturelle, je le répète. Puis, elle aura essayé de comprendre. Albert, peut-être mal renseigné sur la puissance de la drogue, s'était trompé et la dose avait été trop forte. Elle cherchait des explications, des excuses, en espérant qu'il ne tarderait pas à lui donner signe de vie. Ce qu'il fit, naturellement, par téléphone.

— Comment le savez-vous ?

— Je ne le sais pas, mais je le suppose. Il y a eu, ce jour-là, plusieurs coups de téléphone bizarres. On sonnait, Crump prenait l'appareil, ou Mrs Crump, et, au premier mot, à l'autre bout du fil, on raccrochait. Rien que de normal, à mon sens. Albert avait vraisemblablement décidé d'appeler jusqu'au moment où se serait Gladys qui viendrait à l'appareil. Finalement, ils ont pris rendez-vous.

— Vous voulez dire qu'elle avait rendez-vous avec lui le jour où elle fut assassinée ?

Miss Marple répondit d'un signe de tête vigoureusement affirmatif.

— Très certainement, dit-elle. Mrs Crump avait raison sur un point : la petite avait mis ses bas nylon les plus fins et ses plus beaux souliers, elle devait certainement voir quelqu'un. Seulement, ce quelqu'un, *elle ne devait pas sortir* pour le rencontrer, il devait venir à Yewtree Lodge. Elle l'a guetté toute la journée et c'est pourquoi le thé était en retard. Celui qu'elle attendait, elle a dû l'apercevoir près de la petite porte, alors qu'elle arrivait dans le vestibule avec le second plateau qu'elle apportait pour le thé. Il lui a fait signe, elle a posé le plateau et elle est allée le rejoindre.

— Et, là-dessus, il l'a étranglée !

— Il n'en a pas eu pour longtemps. Elle pouvait parler, il ne devait pas la laisser vivre. Pauvre fille ! Et, quand elle fut morte, il lui accrocha au nez ce cintre à vêtements !

La voix de la vieille demoiselle vibrait de colère.

— Cela, ajouta-t-elle, il ne l'a fait qu'à cause de la chanson. Il fallait que rien ne manquât. Il y avait le seigle, les merles, le roi dans sa trésorerie, le pain et le miel... Ce cintre, c'était ce qui se rapprochait le plus de l'oiseau qui becquetait le nez de la servante...

Neele dit lentement :

— Et, parce qu'il est fou, cet odieux personnage finira tranquillement ses jours dans un asile, au lieu d'être pendu comme il le mérite !

— Il sera bel et bien pendu ! répliqua Miss Marple. Car il n'est pas fou, inspecteur ! Il s'en faut...

Neele regarda longuement Miss Marple, puis il dit :

— Miss Marple, vous venez de m'exposer une hypothèse, fort intéressante, j'en conviens, mais qui n'est, j'insiste là-dessus, qu'*une hypothèse*. Vous dites que le véritable coupable est un individu qui se fait appeler Albert Evans, qui a rencontré Gladys dans un camp de vacances et qui s'est servi d'elle. Cet Albert Evans voulait vraisemblablement exercer une vengeance, et ici reparaît la vieille histoire de la Mine des Merles. Car, dans votre esprit, il s'agit bien du fils de Mrs MacKenzie, lequel ne serait pas mort à Dunkerque, mais vivrait toujours et serait l'assassin ?

A la grande surprise de l'inspecteur, Miss Marple secouait la tête.

— Vous n'y êtes pas du tout ! s'écria-t-elle. Je n'ai *jamais rien suggéré de pareil!* Vous ne voyez donc pas, inspecteur, que cette histoire de merles n'a proprement rien à voir avec les crimes ? L'assassin l'a *utilisée*, c'est exact, mais seulement parce qu'il avait entendu parler des merles posés sur le bureau de Mr Fortescue et de ceux qu'on avait mis dans le pâté Ces deux... farces ont été faites par quelqu'un qui connaissait l'affaire de la Mine des Merles et qui voulait se venger de Rex Fortescue, non pas en le tuant, mais en lui faisant peur, par le simple rappel de choses qu'il croyait oubliées. Voyez-vous, inspecteur, je ne crois pas qu'on puisse élever des enfants dans l'idée qu'ils auront un jour à venger leur père, au prix d'un assassinat. *Le bon sens existe* et il faut compter avec lui. Cela dit, je pense que des enfants, devenus grands, peuvent fort bien, s'ils en ont l'occasion, jouer quelque tour pendable à l'homme par lequel leur père a souffert. C'est, j'imagine, ce qui s'est produit en la circonstance. Et l'assassin a tiré parti de l'incident...

— Et cet assassin, Miss Marple, selon vous, qui serait-ce ?

— Son nom ne vous surprendra pas. Du moins, je ne crois pas... Parce que, dès que je vous l'aurai dit, vous reconnaîtrez qu'il est bien homme à commettre trois crimes. Il est intelligent, brillant même, et sans scrupules. Et, naturellement, s'il a tué, c'est parce que cela devait lui rapporter de l'argent. Beaucoup d'argent...

— Percival Fortescue ?

Ce nom, Neele le prononça presque malgré lui. Mais, tout en le disant, il se rendait compte que ce ne devait pas être le bon. Percival ne ressemblait pas au personnage que Miss Marple venait de décrire.

— Mais non, dit-elle, pas Percival ! Lance !

CHAPITRE XXVII

1

— Lance? répéta l'inspecteur. Impossible !

Et cependant il ne fut pas surpris. Au fond de lui-même, ce nom il l'attendait d'après ce que Miss Marple avait dit de l'assassin. S'il protestait c'était uniquement parce qu'il ne voyait pas comment Lance pouvait être l'auteur, direct ou indirect, des trois crimes.

Miss Marple se pencha en avant et, posément, d'une voix douce et persuasive, comme une institutrice expliquant à ses élèves un problème difficile, elle entreprit de convaincre le policier.

— Lance a toujours eu un *mauvais fonds*. Il n'a jamais rien valu, mais il a *du charme*. Surtout *auprès des femmes*. Il est très intelligent, il a toutes les audaces, il aime le risque et, parce qu'il est très réellement sympathique, les gens sont peu enclins à croire le mal qu'on peut dire de lui. Il est venu voir son père cet été. Je ne crois pas que Rex Fortescue lui ait écrit ou qu'il l'ait fait appeler. Ceci, bien entendu, à moins que vous n'ayez la preuve du contraire...

— Non, dit Neele. Rien ne prouve que Mr Fortescue ait exprimé le désir de le voir. Il y a une lettre que Lance prétend lui avoir écrite, à son retour en Afrique, mais il pourrait fort bien l'avoir glissée dans les papiers de son père, le jour où il est arrivé ici.

— Pas bête, ça ! murmura Marple, non sans admiration.

Elle reprit :

— Donc, comme je vous le disais, il est venu à Londres, entre deux avions, pour tenter de se réconcilier avec son père. Mais Rex Fortescue n'a rien voulu savoir. Il faut bien se rendre compte, inspecteur, de la situation de Lancelot. Il venait de se marier et, bien qu'il fît, j'imagine, tout ce qu'il pouvait pour les augmenter de façon plus ou moins honnête, ses maigres ressources ne lui suffisaient plus. Très épris de Pat, qui est une fille adorable, il voulait faire une fin et s'installer avec elle dans une existence respectable. Ce qui, à ses yeux, impliquait qu'elle serait dorée. Je pense que, tandis qu'il était à Yewtree Lodge, il a entendu parler de ces histoires de merles, soit par son père, soit par Adèle, soit même par quelqu'un d'autre. Il en a conclu que la fille de MacKenzie se trouvait dans la maison et il s'est dit que, si un crime était commis à Yewtree Lodge, elle serait une coupable très plausible. L'idée du meurtre, je crois, avait dû lui venir dès qu'il avait compris que son père ne lui accorderait rien de ce qu'il lui demandait. Et il lui fallait agir sans perdre trop de temps, parce qu'il savait que Rex Fortescue était devenu... bizarre et qu'il pouvait fort bien, et très rapidement, provoquer le krach qui engloutirait son affaire et ses biens.

— Il savait parfaitement aussi à quoi s'en tenir sur la santé de son père, déclara Neele.

— Ça explique bien des choses ! dit Miss Marple. Est-ce le prénom de son père, Rex, qui, avec ces histoires de merles, lui a donné l'idée d'établir une sorte de parallélisme entre ses crimes et les événements contés par une chanson enfantine ? C'est très possible. Ainsi, on croirait avoir affaire à une personne à l'esprit dérangé et on penserait, de surcroît, à une vengeance des MacKenzie. Deux assassinats ne lui coûtaient pas plus qu'un seul, et supprimer Adèle, c'était récupérer les cent mille livres sterling qu'elle aurait encaissées si elle avait survécu à son mari. Seulement, il fallait encore un troisième personnage, « la servante qui pendait le linge dans le jardin », et je croirais volontiers que c'est ce troisième personnage qui a fait naître dans son esprit le plan diabolique qu'il a imaginé. Il aurait une complice, qu'il réduirait définitivement au silence avant qu'elle n'eût le temps de parler et, grâce à elle, il posséderait, pour le premier meurtre, le plus solide des alibis. Tout a fort bien marché. Venant de la gare, il arrive ici un peu avant cinq heures, au moment même où Gladys est dans le vestibule, avec le second plateau du thé. Il lui fait signe, elle vient le rejoindre à la porte près de laquelle il se tient, il l'étrangle et, contournant la maison, il va porter le corps près des cordes à linge, sur lesquelles la lessive est en train de sécher. Tout cela ne lui a pas demandé plus de trois ou quatre minutes. Il revient sonner à la porte d'entrée, on lui ouvre, il est reçu dans la bibliothèque, où il prend le thé en famille, puis il rend visite à Miss Ramsbottom. Quand il redescend, il va retrouver Adèle, qui s'apprête à prendre une dernière tasse de thé, et, tout en bavardant avec elle, il s'arrange pour jeter dans le thé qu'elle va boire un comprimé de cyanure de potassium. Rien de plus facile, évidemment. Il peut fort bien, par exemple, avoir pris un morceau de sucre dans le sucrier et l'avoir mis dans la tasse d'Adèle, en même temps que le poison, en disant : « J'ai peut-être eu tort ! Votre thé était déjà sucré ? » Elle répond que ça n'a aucune importance, elle remue son thé et elle boit. Je vous accorde que tout cela exigeait une certaine audace, mais nous savons qu'il n'en manque pas !

— Sans doute, dit Neele, toute cette théorie se tient. Mais ce que je ne vois pas, Miss Marple, c'est ce que ces crimes lui auraient rapporté ! Admettons que, si Rex Fortescue n'était pas mort, ses affaires se seraient écroulées. Ce que Lance devait recueillir dans l'héritage, était-ce assez pour le pousser à commette trois crimes ? Très sincèrement, je ne le crois pas.

— Cela, admit Miss Marple, je reconnais que c'est un problème difficile. Je n'entends pas grand-chose aux affaires de bourse et de finances, mais est-il *absolument* démontré que cette Mine des Merles ne vaut rien ?

Neele réfléchit. Des petites choses lui revenaient à la mémoire, qui, rapprochées, devenaient susceptibles de prendre une signification. Lance avait bien déclaré qu'il ne demandait qu'à recevoir en partage les valeurs « spéculatives » et, en quittant Percival, à la fin de leur dernière conversation, il avait expressément parlé des actions de la Mine des Merles. Une mine d'or qui valait quelque chose, encore que tout le monde crût le contraire ? C'était possible. Mais, alors, il fallait admettre que Rex

Fortescue s'était trompé. Au fait où se situe-t-elle cette mine ? Lance parlait « d'Afrique occidentale », mais Miss Ramsbottom disait « Afrique orientale ». Lance se trompait-il exprès ? Ou bien, Miss Ramsbottom, étant âgée, perdait-elle la mémoire ? Cependant Lance, arrivant d'Afrique orientale devait savoir...

Puis, brusquement Neele se souvint qu'en lisant le *Times* dans le train, il avait vu que des gisements d'uranium venaient d'être découverts au Tanganyika. Si cet uranium se trouvait sur l'emplacement de la Mine aux Merles tout s'expliquerait !

Lance, étant sur place avait compris qu'il pouvait réaliser une énorme fortune.

Neele poussa un soupir et leva les yeux vers Miss Marple.

— Mais, tout cela, Miss Marple, est-ce que vous vous figurez que je vais être capable de le prouver ?

Il avait parlé d'un ton navré. Miss Marple sourit et elle lui répondit avec toute la gentillesse d'une brave tante, affirmant à son jeune neveu qu'il est *impossible* qu'il échoue à son examen.

— La preuve, dit-elle, vous la ferez ! Vous êtes habile, inspecteur, *très habile*, je l'ai vu tout de suite ! Et, cette preuve, je sais même où vous irez la chercher ! L'assassin sera bien incapable d'expliquer pourquoi il est allé passer une semaine dans un camp de vacances sous le nom d'Albert Evans !

Ce jour-là, évidemment, l'audacieux Lancelot s'était montré plus téméraire encore que de coutume. Neele, cependant, hésitait toujours.

— Mais nous n'avons contre lui que des présomptions !

— Pour moi, répliqua Miss Marple, ma conviction est faite. La vôtre aussi, j'espère?

— Peut-être... Des types de ce calibre-là, en somme, j'en ai déjà rencontré !

Miss Marple approuva de la tête.

— C'est bien pour ça que *je suis sûre* de ce que j'avance !

Le policier dut faire effort pour ne pas sourire.

— Parce que... vous avez une certaine expérience des criminels?

La vieille demoiselle faillit hausser les épaules.

— Ce n'est pas du tout cela que je veux dire ! s'écria-t-elle. Je pense à Pat, une fille charmante, une de celles qui toujours épousent de mauvais sujets... A la vérité, c'est à cause d'elle que j'ai songé à lui sérieusement !

— Que je sois sûr, moi aussi, conclut l'inspecteur, c'est possible ! Seulement, il reste encore bien des choses à expliquer. Cette histoire de Ruby MacKenzie, par exemple. Je jurerais presque...

Miss Marple ne le laissa pas achever.

— Vous avez raison ! Seulement, c'est sur la personne que vous vous trompez... Si vous alliez parler un peu avec Mrs Percy?

2

— Madame Fortescue, dit l'inspecteur, est-ce que cela vous ennuierait de me dire comment vous vous appeliez avant votre mariage?

Jennifer avait pâli.

— N'ayez pas peur ! poursuivit Neele. Il vaut

mieux dire la vérité. Vous vous appeliez Ruby MacKenzie. Je me trompe ?

Elle balbutia :

— Est-ce un crime ?

— Nullement, répondit Neele, d'une voix très douce. Il y a quelques jours encore, je rendais visite à votre mère, au Pinewood Sanatorium.

— Elle m'en veut beaucoup, dit Jennifer. Je ne vais jamais la voir, parce que mes visites lui font mal. Pauvre maman ! Elle aimait tant papa !

— Elle vous a élevée dans l'espoir que vous vengeriez votre père ?

— Oui. Tous les soirs, elle nous faisait jurer sur la Bible, à mon frère et à moi, qu'un jour nous *le* tuerions ! Naturellement, à partir du moment où je suis devenue infirmière, j'ai compris que ma pauvre maman n'avait plus toute sa raison.

— Ce désir de vengeance, pourtant, vous l'éprouviez, vous aussi ?

Elle eut une légère hésitation.

— Oui, dit-elle enfin. En fait, Rex Fortescue a tué mon père. Pas assassiné d'une balle ou d'un coup de couteau, mais je suis absolument convaincue qu'il l'a laissé mourir. Ça revient au même !

— Moralement, oui.

— J'étais bien décidée à lui faire payer ça ! poursuivit Jennifer. Le jour où une de mes amies fut désignée pour soigner son fils, j'ai obtenu d'elle qu'elle me cédât sa place. Ce que je me proposais de faire, je ne le sais pas trop... Ce que je peux dire, inspecteur, c'est que je n'ai jamais eu l'intention de *tuer* Mr Fortescue ! Peut-être m'étais-je dit que je soignerais son fils si mal qu'il finirait par en mourir... C'est possible ! Seulement, quand on est une infirmière de profession, il y a des choses qu'on ne peut pas faire... et, finalement, j'ai soigné Val avec beaucoup de dévouement. Il s'est épris de moi, il m'a demandé ma main et j'ai pensé que ce serait là une revanche comme une autre. Épouser le fils aîné de Rex Fortescue et, ainsi, rentrer en possession de l'argent qu'il avait volé à mon père, c'était bien une vengeance, et certainement plus intelligente que toute autre !

— Sans aucun doute ! dit Neele. C'est vous, bien entendu, qui avez posé des merles sur le bureau de Mr Fortescue et qui en avez mis dans le pâté en croûte?

Jennifer rougit.

— Oui. J'ai eu tort, bien sûr, et c'était ridicule... Seulement, toute la journée, Mr Fortescue avait parlé des poires et des gens qu'il avait roulés... Dans le cadre de la loi, naturellement... Alors, l'envie m'est venue de lui donner une leçon, de lui faire peur. Et *il a eu peur*, je peux le dire ! Mais je m'en suis tenue là et je n'ai rien fait d'autre ! Vous me croyez, inspecteur? Vous ne pensez pas que je *tuerais* quelqu'un?

L'anxiété faisait trembler sa voix. Neele la rassura d'un sourire, avant même de répondre.

— Non, dit-il. A propos, n'auriez-vous pas, ces temps-ci, donné de l'argent à Miss Dove?

Elle ouvrit la bouche, stupéfaite.

— Comment le savez-vous?

— Nous savons bien des choses.

Mentalement, il ajouta : « Et nous en devinons pas mal d'autres ! »

— C'est exact, dit-elle. Elle est venue me trouver, pour m'apprendre que vous l'accusiez d'être Ruby MacKenzie et qu'elle ne ferait rien pour vous détromper, si je consentais à lui verser cinq cents livres sterling. Elle ajoutait que, si vous veniez à connaître ma véritable identité, je serais soupçonnée d'avoir assassiné Mr Fortescue et ma belle-mère. Ne pouvant rien dire à Percival, qui ignore que je suis Ruby MacKenzie, j'ai eu beaucoup de peine à me procurer l'argent et je me suis trouvée dans l'obligation de vendre ma bague de fiançailles et un magnifique collier...

L'inspecteur sourit.

— Ne vous tracassez pas, madame ! J'ai idée que vous reverrez votre argent...

3

Le lendemain, Neele eut une nouvelle conversation avec Mary Dove.

Son attaque fut directe.

— Si je vous demandais, Miss Dove, de me signer un chèque de cinq cents livres à l'ordre de Mrs Percival Fortescue, qu'est-ce que vous me répondriez ?

Il eut la satisfaction de voir, pour une fois, Mary Dove perdre contenance.

— L'imbécile ! murmura-t-elle. Elle vous a tout raconté...

Il reprit :

— Vous savez que le chantage est sévèrement puni par la loi ?

— Je n'ai fait chanter personne ! J'ai rendu service à Mrs Percival, voilà tout !

— C'est un point que je ne veux pas discuter. Signez-moi ce chèque et tout sera dit !

Mary Dove alla chercher son chéquier et s'exécuta. Avec un soupir, elle remit le chèque au policier.

— Ça m'embête bien ! dit-elle. Justement, en ce moment, je serais plutôt fauchée...

— J'imagine que vous ne resterez plus longtemps à Yewtree Lodge ?

— Vous pouvez le dire ! s'écria-t-elle. La place n'a pas répondu à mes espérances. Une histoire comme ça, ça n'a rien de drôle !

— Je vous comprends. Vous vous trouviez dans une position... délicate. A tout instant, on pouvait s'enquérir de vos antécédents.

Elle avait recouvré son calme.

— Que prétendez-vous insinuer ? demanda-t-elle d'un ton sec. Personne ne peut rien me reprocher !

Avec bonne humeur, Neele répondit qu'il n'avait jamais dit le contraire.

— Seulement, ajouta-t-il, il se trouve que des vols ont été commis chez vos trois derniers employeurs, dans les trois mois qui ont suivi votre départ. Tous vous avaient délivré d'excellents certificats, mais leurs voleurs étaient remarquablement renseignés. Ils savaient où étaient les fourrures, les bijoux et les objets de valeur. Curieuses coïncidences, n'est-ce pas ?

— Ça existe, les coïncidences !

— Je ne le conteste pas. Seulement, il ne faut pas qu'elles se reproduisent trop souvent.

Glissant le chèque dans son portefeuille, il ajouta :

— Au revoir, Miss Dove ! J'ai idée que nous nous reverrons.

Souriant, elle répondit :

— Je ne voudrais rien vous dire de désagréable, mais j'espère bien que non !

CHAPITRE XXVIII

1

Miss Marple ferma son sac de voyage et jeta sur sa chambre un regard circulaire. Elle n'oubliait rien. Crump emporta son bagage. Miss Marple s'en fut faire ses adieux à Miss Ramsbottom.

— Je crois, lui dit-elle, que j'ai bien mal reconnu l'hospitalité que vous m'avez si gentiment offerte. J'espère qu'un jour vous me pardonnerez...

Miss Ramsbottom interrompit sa réussite et tourna la tête vers Miss Marple :

— Finalement, vous avez trouvé ce que vous vouliez ?

— Oui.

— Et vous avez tout raconté à l'inspecteur ?

— Oui.

— Il pourra confondre l'assassin ?

— Il lui faudra peut-être un certain temps, mais je pense qu'il y arrivera.

— Je ne vous pose pas de questions, reprit Miss Ramsbottom. Vous êtes une femme très intelligente et très fine, je l'ai deviné dès que je vous ai vue, et je ne vous blâme pas d'avoir fait ce que vous avez fait. Les méchants doivent être punis. Dans cette famille, il y en a. Ça ne vient pas de mon côté, je suis heureuse de le dire. Elvira, ma pauvre sœur, était folle, mais ça n'allait pas plus loin !

Miss Ramsbottom jouait avec une des cartes posées sur la table.

— Un valet noir ! poursuivit-elle. Un bel homme, mais sans cœur... C'était bien ce que je craignais !... On ne peut pas toujours s'empêcher d'avoir de l'affection pour les méchants... Il avait du charme et il faisait un peu de moi ce qu'il voulait... Il a menti sur l'heure à laquelle il m'avait quittée ce jour-là. Je n'ai pas voulu le contredire, mais... depuis ce moment-là, je savais presque à quoi m'en tenir !... Seulement, que voulez-vous ? Je ne pouvais rien dire... C'était le fils d'Elvira ! Quoi qu'il en soit, Jane Marple, vous avez fait ce que vous deviez faire ! C'est sa femme que je plains...

— Moi aussi, dit Miss Marple.

Pat Fortescue attendait Miss Marple dans le vestibule pour lui dire au revoir.

— Je regrette que vous vous en alliez, dit-elle. Vous me manquerez !

— Il faut que je parte, répondit la vieille demoiselle. Je n'ai plus rien à faire ici et mon séjour n'a pas été particulièrement... agréable. Mais il faut bien empêcher le triomphe des méchants !

Pat regarda Miss Marple d'un air étonné.

— Je ne comprends pas, dit-elle.

— Vous comprendrez plus tard, ma chérie ! Me permettez-vous de vous donner un conseil ? Si jamais il vous arrive quelque chose de... fâcheux, je crois que ce que vous auriez de mieux à faire, ce serait de retourner dans le pays où vous avez été heureuse, étant enfant. En Irlande, ma chérie...

Pat acquiesça d'un mouvement de tête.

— Quelquefois, dit-elle, je regrette de ne pas être rentrée en Irlande après la mort de Freddy.

D'une voix plus douce, elle ajouta :

— Seulement, si je l'avais fait, je n'aurais jamais rencontré Lance...

Miss Marple poussa un soupir.

— En tout cas, reprit Pat, nous ne resterons pas ici. Nous retournerons en Afrique orientale dès que tout sera terminé ici. Je m'en réjouis d'avance...

— Dieu vous bénisse, ma chère enfant ! dit Miss Marple. Il faut être très courageuse dans la vie. Je crois que vous l'êtes !

Elle donna quelques petites tapes amicales sur la main de la jeune femme, puis, d'un pas rapide, elle se dirigea vers le taxi qui l'attendait devant le perron.

2

Miss Marple arriva chez elle tard dans la soirée.

Kitty, une des plus récentes « anciennes élèves » du St. Faith's Home, vint lui ouvrir. Elle était radieuse.

— Que je suis contente de vous revoir, mademoiselle ! s'écria-t-elle. La maison est comme un sou neuf, vous verrez ! J'ai fait un vrai nettoyage de printemps.

— Ça, Kitty, c'est très bien ! Je suis heureuse d'être rentrée.

Dans le vestibule, Miss Marple remarqua une grosse toile d'araignée, dans le coin à droite, près du plafond. Kitty était comme les autres : elle ne levait jamais la tête. Naturellement, Miss Marple, qui n'aimait pas faire de peine, se garda de rien dire.

— Votre courrier est sur la table, mademoiselle, reprit Kitty. Il y a une lettre qui a été se perdre à Daisymead et qui nous a été renvoyée, mais pas tout de suite, parce que les gens ne sont rentrés que d'avant-hier. Daisymead et Danemead, c'est tellement pareil qu'une erreur comme ça n'a rien de bien étonnant ! Sans compter que l'adresse est très mal écrite...

Miss Marple jeta un coup d'œil sur le petit tas de lettres qui était sur la table. Celle dont Kitty venait de lui parler se trouvait sur le dessus. Miss Marple eut l'impression que l'écriture ne lui était pas inconnue, et ouvrit l'enveloppe.

Chère mademoiselle,

J'espère que vous me pardonnerez de vous écrire, mais je ne sais vraiment pas quoi faire et je vous jure que je ne pensais pas mal faire. Comme vous le verrez sur le journal, il paraît que c'est un meurtre, mais je ne suis pas coupable, vu que je n'aurais jamais fait une chose comme ça, et lui non plus, j'en suis bien sûre. C'est d'Albert que je veux parler, naturellement. Je m'explique mal, mais je suis sûre que vous comprendrez. Je l'ai rencontré l'été dernier et nous nous serions mariés tout de suite, mais, malheureusement, Bert a été dépouillé de sa fortune, justement par ce Mr Fortescue, qui est mort. Naturellement, Mr Fortescue jurait ses grands dieux qu'il n'avait rien fait à Albert et il avait tout le monde pour lui, c'est toujours comme ça quand on est riche, et Albert était pauvre. Seulement, Bert avait un ami qui travaille dans une de ces usines où on fabrique des drogues et il y en a une, la drogue de vérité qu'on appelle, que vous en avez peut-être entendu parler dans le journal, qui oblige les gens à parler, que ça soit leur idée ou pas. Bert devait aller voir Mr Fortescue à son bureau, le 5 *novembre, en emmenant avec lui un avocat, et moi, il avait été convenu que je mettrais un peu de cette drogue dans le déjeuner de Mr Fortescue, pour qu'il soit obligé cette fois de dire la vérité et qu'Albert ne réclamait que son droit. Bref, madame, j'ai mélangé la drogue à la confiture, que Monsieur en prenait toujours en tartines. Seulement, il est mort, probable que j'en avais trop mis ou que c'était trop fort, mais ce n'est pas la faute d'Albert, vu qu'il ne ferait jamais une chose pareille. Alors, je ne peux rien dire à la police, vu qu'elle penserait qu'il l'a fait exprès, alors que je sais bien que ce n'est pas vrai. Tout ça pour vous dire, madame, que je ne sais vraiment pas quoi faire, ni quoi dire, que les policiers fouinent dans toute la maison et que c'est terrible, les questions qu'ils vous posent et la façon qu'ils vous regardent. Avec ça, je suis sans nouvelles de Bert et je ne sais pas vers qui me tourner. Ça m'ennuie de vous demander ça, mais si seulement vous pouviez venir jusqu'ici, pour m'aider à leur faire comprendre. Je suis sûre qu'ils vous écouteraient, vous qui avez toujours été si bonne pour moi, et qu'ils se rendraient compte que je n'ai rien fait de mal, et Albert non plus, vous pensez bien! Je voudrais tant que vous veniez à notre secours et je vous envoie mes respectueuses salutations.*

Gladys MARTIN.

P.S. — *Je mets dans ma lettre une petite photo de Bert et de moi. Elle a été prise au camp de vacances, par un camarade qui était là-bas et qui me l'a donnée. Bert ne sait pas que je l'ai. Il a horreur qu'on le photographie et je vous l'envoie seulement pour que vous vous rendiez compte. Vous penserez sûrement comme moi que c'est un beau garçon, et bien gentil.*

Miss Marple regarda la photo : deux amoureux, les yeux dans les yeux. Elle reconnut le visage ingrat de Gladys. Rayonnante de bonheur, elle souriait, la bouche légèrement ouverte, le front levé vers le beau jeune homme qu'elle adorait : cet Albert Evans, qui n'était autre que Lance Fortescue.

La dernière phrase de la lettre lui revint en mémoire : *Vous penserez comme moi que c'est un beau garçon, et bien gentil.*

Des larmes lui montèrent aux paupières.

De pitié d'abord. Puis de colère, contre l'abominable assassin...

Miss Marple soupira.

Et, oubliant pitié et colère, elle ne voulut plus songer qu'à la satisfaction qu'elle tirait d'avoir mené sa tâche à bien.

Une satisfaction assez proche de celle du savant qui, avec un fragment de mâchoire et une paire de molaires, a réussi à reconstituer le squelette complet de quelque monstrueux représentant d'une espèce animale disparue.

FIN

Liste alphabétique complète des

Romans d'Agatha Christie

(Masque et Club des Masques)

	Masque	Club des masques
A.B.C. contre Poirot	263	296
L'affaire Prothéro	114	36
A l'hôtel Bertram	951	104
Allô ! Hercule Poirot ?	1175	284
Associés contre le crime	1219	244
Le bal de la victoire	1655	
Cartes sur table	274	364
Le chat et les pigeons	684	26
Le cheval à bascule	1509	514
Le cheval pâle	774	64
Christmas Pudding (Dans le Masque : Le retour d'Hercule Poirot)		42
Cinq heures vingt-cinq	190	168
Cinq petits cochons	346	66
Le club du mardi continue	938	48
Le couteau sur la nuque	197	135
Le crime de l'Orient-Express	169	337
Le crime du golf	118	265
Le crime est notre affaire	1221	228
Destination inconnue	526	58
Dix petits nègres	299	402
Drame en trois actes	366	192
Les écuries d'Augias	913	72
Les enquêtes d'Hercule Poirot	1014	96
La fête du potiron	1151	174
Le flux et le reflux	385	235
L'heure zéro	349	18
L'homme au complet marron	69	124
Les indiscrétions d'Hercule Poirot	475	142
Je ne suis pas coupable	328	22
Jeux de glaces	442	78
La maison biscornue	394	16
La maison du péril	157	152
Le major parlait trop	889	108
Meurtre au champagne	342	20
Le meurtre de Roger Ackroyd	1	415
Meurtre en Mésopotamie	283	28
Le miroir du mort (dans le Masque : Poirot résout trois énigmes)		94
Le miroir se brisa	815	3
Miss Marple au club du mardi	937	46

	Masque	Club des masques
Mon petit doigt m'a dit	1115	201
La mort dans les nuages	218	128
La mort n'est pas une fin	511	90
Mort sur le Nil	329	82
Mr Brown	100	68
Mr Parker Pyne	977	117
Mr Quinn en voyage	1051	144
Mrs Mac Ginty est morte	458	24
Le mystère de Listerdale	807	60
La mystérieuse affaire de Styles	106	100
Le mystérieux Mr Quinn	1045	138
N ou M?	353	32
Némésis	1249	253
Le Noël d'Hercule Poirot	334	308
La nuit qui ne finit pas	1094	161
Passager pour Francfort	1321	483
Les pendules	853	50
Pension Vanilos	555	62
La plume empoisonnée	371	34
Poirot joue le jeu	579	184
Poirot quitte la scène	1561	504
Poirot résout trois énigmes (Dans le Club : Le miroir du mort)	714	
Pourquoi pas Evans?	241	9
Les quatre	134	30
Rendez-vous à Bagdad	430	11
Rendez-vous avec la mort	420	52
Le retour d'Hercule Poirot (Dans le Club : Christmas Pudding)	745	
Le secret de Chimneys	126	218
Les sept cadrans	44	56
Témoin à charge	1084	210
Témoin indésirable	651	2
Témoin muet	377	54
Le train bleu	122	4
Le train de 16 h 50	628	44
Les travaux d'Hercule	912	70
Trois souris...	1786	
La troisième fille	1000	112
Un cadavre dans la bibliothèque	337	38
Un deux trois	359	1
Une mémoire d'éléphant	1420	469
Un meurtre est-il facile?	564	13
Un meurtre sera commis le...	400	86
Une poignée de seigle	500	40
Le vallon	361	374
Les vacances d'Hercule Poirot	351	275

Les Maîtres du Roman Policier

Première des collections policières en France, Le Masque se devait de rééditer les écrivains qu'il a lancés et qui ont fait sa gloire.

ARMSTRONG Charlotte
1740 L'étrange cas des trois sœurs infirmes
1767 L'insoupçonnable Grandison

BEEDING Francis
238 Le numéro gagnant

BERKELEY Anthony
1793 Le club des détectives *(juin 85)*

BIGGERS Earl Derr
1730 Le perroquet chinois

BOILEAU Pierre
252 Le repos de Bacchus
(Prix du Roman d'Aventures 1938)
1774 Six crimes sans assassin

BOILEAU-NARCEJAC
1748 L'ombre et la proie

BRUCE Leo
1788 Sang froid *(mai 85)*

CARR John Dickson
1735 Suicide à l'écossaise
1785 Le sphinx endormi *(avril 85)*
1794 Le juge Ireton est accusé *(juin 85)*

DARTOIS Yves
232 L'horoscope du mort

DIDELOT Francis
1784 Le coq en pâte *(avril 85)*

DOYLE Sir Arthur Conan
124 Une étude en rouge *(juil. 85)*
1738 Le chien des Baskerville

ENDRÈBE Maurice Bernard
1758 La pire des choses

FAIR A.A.
1745 Bousculez pas le magot
1751 Quitte ou double
1770 Des yeux de chouette

GARDNER Erle Stanley
1797 La femme au masque *(juil. 85)*

HEYER Georgette
297 Pourquoi tuer un maître d'hôtel ?
484 Noël tragique à Lexham Manor

HUXLEY Elspeth
1764 Safari sans retour

KASTNER Erich
277 La miniature volée

KING Rufus
375 La femme qui a tué

LEBRUN Michel
1759 Plus mort que vif

LOVESEY Peter
1201 Le vingt-sixième round *(juin 85)*

MAGNAN Pierre
1778 Le sang des Atrides

MILLER Wade
1766 La foire aux crimes

NARCEJAC Thomas
355 La mort est du voyage
(Prix du Roman d'Aventures 1948)
1775 Le goût des larmes

PALMER Stuart
117 Un meurtre dans l'aquarium
1783 Hollywood-sur-meurtre *(avril 85)*

QUENTIN Patrick
166 Meurtre à l'université

ROSS Jonathan
1756 Une petite morte bien rangée

RUTLEDGE Nancy
1753 Emily le saura

SAYERS Dorothy L.
174 Lord Peter et l'autre

191 Lord Peter et le Bellona Club
1754 Arrêt du cœur

SÉCHAN O. et MASLOWSKI I.
395 Vous qui n'avez jamais été tués *(juil. 85)*

SHERRY Edna
1779 Ils ne m'auront pas

SLESAR Henry
1776 Mort pour rire

STAGGE Jonathan
1736 Chansonnette funèbre
1771 Morphine à discrétion
1789 Du sang sur les étoiles *(mai 85)*

STEEMAN Stanislas-André
84 Six hommes morts
(Prix du Roman d'Aventures 1931)
95 La nuit du 12 au 13
101 Le mannequin assassiné
284 L'assassin habite au 21
305 L'ennemi sans visage *(mai 85)*
388 Crimes à vendre
1772 Quai des Orfèvres

TEY Josephine
1743 Elle n'en pense pas un mot

THOMAS Louis C.
1780 Poison d'avril

VERY Pierre
60 Le testament de Basil Crookes
(Prix du Roman d'Aventures 1930)

Le Club des Masques

ALDING Peter
531 Le gang des incendiaires

BAHR E.J.
493 L'étau

BARNARD Robert
535 Du sang bleu sur les mains
557 Fils à maman *(juil. 85)*

CARR John Dickson
423 Le fantôme frappe trois coups

CHEYNEY Peter
6 Rendez-vous avec Callaghan
23 Elles ne disent jamais quand
31 Et rendez la monnaie
41 Navrée de vous avoir dérangé
57 Les courbes du destin
74 L'impossible héritage

CHRISTIE Agatha
(85 titres parus, voir catalogue général)

CURTISS Ursula
525 Que désires-tu Célia ?

DIDELOT Francis
524 La loi du talion

ENDRÈBE Maurice Bernard
512 La vieille dame sans merci
543 Gondoles pour le cimetière

EXBRAYAT
(96 titres parus, voir catalogue général)

FERM Betty
540 Le coupe-papier de Tolède

FERRIÈRE Jean-Pierre
515 Cadavres en vacances
536 Cadavres en goguette

FISH et ROTHBLATT
518 Une mort providentielle

FOLEY Rae
517 Un coureur de dot
527 Requiem pour un amour perdu

GILBERT Anthony
505 Le meurtre d'Edward Ross

HINXMAN Margaret
542 Le cadavre de 19 h 32 entre en gare

IRISH William
405 Divorce à l'américaine
430 New York blues

KRUGER Paul
513 Brelan de femmes

LACOMBE Denis
456 La morte du Causse noir
481 Un cadavre sous la cendre

LANG Maria
509 Nous étions treize en classe

LEBRUN Michel
534 La tête du client

LONG Manning
519 Noël à l'arsenic
528 Pas d'émotions pour Madame

LOVELL Marc
497 Le fantôme vous dit bonjour

MARTENSON Jan
495 Le Prix Nobel et la mort

MONAGHAN Hélène de
452 Suite en noir
502 Noirs parfums

MORTON Anthony
545 Le baron les croque
546 Le baron et le receleur
547 Le baron est bon prince
548 Noces pour le baron
549 Le baron se dévoue *(avril 85)*
550 Le baron et le poignard *(avril 85)*
552 Le baron et le clochard *(mai 85)*
553 Une corde pour le baron *(mai 85)*
554 Le baron cambriole *(juin 85)*
556 Le baron bouquine *(juil. 85)*

PICARD Gilbert
477 Le gang du crépuscule
490 L'assassin de l'été

RATHBONE Julian
511 A couteaux tirés

RENDELL Ruth
451 Qui a tué Charlie Hatton ?
501 L'analphabète
510 La danse de Salomé
516 Meurtre indexé
523 La police conduit le deuil
544 La maison de la mort
551 Le petit été de la St. Luke *(juin 85)*

RODEN H.W.
526 On ne tue jamais assez

SALVA Pierre
475 Le diable dans la sacristie
484 Tous les chiens de l'enfer
503 Le trou du diable

SAYERS Dorothy L.
400 Les pièces du dossier

SIMPSON Dorothy
537 Le chat de la voisine

STOUT Rex
150 L'homme aux orchidées

STUBBS Jean
507 Chère Laura

SYMONS Julian
458 Dans la peau du rôle

THOMSON June
521 La Mariette est de sortie
540 Champignons vénéneux

UNDERWOOD Michaël
462 L'avocat sans perruque
485 Messieurs les jurés
531 La main de ma femme
539 La déesse de la mort

WAINWRIGHT John
522 Idées noires

WATSON Colin
467 Cœur solitaire

WILLIAMS David
541 Trésor en péril

WINSOR Roy
491 Trois mobiles pour un crime

IMPRIMÉ EN FRANCE PAR BRODARD ET TAUPIN
58, rue Jean Bleuzen - Vanves - Usine de La Flèche.
ISBN : 2 - 7024 - 0006 - X

H 31/0108/6